JN094958

まちづくり

Community development Strategy 3.0

戦略3.0

カネなし、人脈なし、知名度なしでも

成功する「弱者の戦い方」

SUMUS代表取締役社長

小林大輔

DAISUKE KOBAYASHI

かんき出版

はじめに

カネも人脈も、知名度もない…。それでも大丈夫!

「カネなし、人脈なし、知名度もなし」

まちづくりといえばほとんどの場合、この現実を突きつけられてしまいます。

「カネがなければやりようがない」「人脈がなければ地域は活性化しない」「無名でまちづくりなどできっこない」。そのように考える人も多いかと思います。

これは**企業経営でもありがちなこと。**カネがなく、人脈もなく、無名(ブランドとして認知されていないなど)の状態でベンチャー企業を立ち上げるようなイメージです。やはり、同じように「無理ではないか」と思われるでしょうか。

しかし、現在では大きな成功をしているベンチャー企業も必ずしも最初から資金が潤沢であったわけではなく、強力なコネクションがあったわけではありません。スタートアップの段階から名が知られていたわけもありません。
中小企業から個人事業主まで、多くの成功している経営者は、カネも人脈もなく無名なところからスタートしています。それでも、巧みな戦略や意思決定、さらには果敢な行動によって大きな成果をつかんでいるのが実情です。

では、**なぜそれが可能なのでしょうか？　その答えは、「弱者の戦略」にあります。**弱者の戦略を駆使して、何もないからこそその〝正しい戦い方〟をすれば、小さくはじめて大きく成長していくことが可能となります。そう考えると、弱者であること、小さいことは、決してマイナスではありません。

実は**そのような発想が、まちづくりをはじめ地方創生や地域活性化と呼ばれるもの全般にも応用できます**（本書では「まちづくり」を、ある地域で人やカネが集まり交流を活性化させる行動全般を指すことにしています）。

日本全国各地で、地域を盛り上げようと奮闘している人たちがいます。彼らはその土地を盛り上げようと、さまざまな施策を講じているのですが、残念ながら結果につながっている地域はほんの一握り。

なぜならば地方をはじめカネ・人・知名度が不足する弱者的な地域の活性化をするのに、東京や大阪、福岡のような大都市圏、あるいは京都や沖縄のような人気観光地と同じような戦い方をしようとしまっているから。それでは、すぐに力尽きてしまいます。

ベンチャー企業にはベンチャー企業の戦い方があるように、**弱者（的な地域）には弱者の戦い方がある**のです。

弱者だからこそ有利な時代になってきた

特に近年では、弱者の戦い方がより求められています。その理由は、**多くの人が同じものを大量生産・大量消費する社会から、多種多様に個別化されたニーズにも対応する社会へと移行したため**です。ひとつひとつのニーズとして、小規模なものがたくさん出てきたということです。

小規模であれば、そこには強者が参入しにくくなります。というのも強者は、人件費やビルの賃料をはじめとした固定費が高いため、大きな収益がないと自らを維持することができないからです。つまり、**弱者が参入しやすいニーズとなります。**

これら小規模のニーズの中には、隙間（すきま）産業、手掛けている人がまだ少ないブルーオーシャンも多いのです。まさに**弱者にとってチャンスが増えた**のです。

そのような発想はまさに、まちづくりでこそ応用できます。しかし、ほとんどで決してうまくいっていないのが実情。というのは、先の正しい弱者の戦い方をしていないからです。

強者の真似をするな。弱者ならでは戦い方を知れ！

ここで、簡単に自己紹介をします。私は新潟県上越市で生まれ、千葉県東金市で育ちました。祖父は材木業を、父は大工（工務店経営）を営む家系で、幼い頃は工事現場が遊び場でした。大学卒業後、経営を学べる企業に就職した後、２０１４年に独立。２０１５年には株式会社ＳＵＭＵＳ（スムーズ）を設立しています。

ＳＵＭＵＳは主に、地域の家づくりやまちづくりの担い手である地場工務店のサポートを通じ、「まち」そのものを魅力ある場所へと変えていく事業を展開しています。

そんな私たちが掲げているコンセプトは、**「半径200メートルのまちづくり」**。半径２００メートル以内に、複数の魅力的な拠点や施設をつくり、１万人の人を集め、そのまちを巡り、楽しみ、定着してくれる状態をつくること。

そのために必要な知識、お金、人材、アイデアを正しく組み立てていくのが、私たちが考えるまちづくりのあり方です。

そこには**「大きな施設やエリアでの机上の理論的な計画」**ではなく**「小さなコンテンツづくり」からスタートするなど、ベンチャー企業や個人事業主、さらにはビジネスパーソン一人ひとりでも活用できる〝弱者の戦略〟が盛り込まれています。**

おかげさまで多くのクライアントさんに満足していただき、**弊社のサービス継続率は96%という異例の高い数字をキープ**しています。しかも、**全国的には決して知名度が高いとはいえない場所ばかりで戦ってきました。**

だからこそ、**本書はまちづくりに関する本でありつつ、ぜひ、業界や職種を問わずビジネスに携わるさまざまな人にも読んでいただきたいと考えています。**特に弱者の正しい戦い方を通じて、大きな成功をつかむヒントを得ていただければ幸いです。

時代の変化とともに、まちづくりの戦略は大きく変化しました。行政主導のまちづくりをバージョン「1・0」とするなら、大都市圏を真似したまちづくりはバージョン「2・0」といえるでしょう。これらは、強者にしかなかなか通用しない戦略でした。

一方、弱者の戦略である「半径200メートルのまちづくり」こそ、最新のバージョンである「3・0」。本書でお伝えするまちづくりはこれなので、本書は「まちづくり戦略3・0」

というタイトルをつけています。

本書の構成は次のとおりです。

第1章では、本書全体を通してお伝えする「弱者の正しい戦い方」について、基本的な内容を紹介しています。続く第2章では、ランチェスターの法則（ランチェスター戦略）を軸に、まちづくりの詳細を。第3章では本書におけるまちづくりの成功として「まち上場」を定義します。

第4章から第7章では、実践編として、具体的なまちづくりの4ステップ（①ソリューションの検討、②人を巻き込む、③場づくりと運営、④ルールをつくる）をそれぞれ紹介していきます。第3章までに紹介したエッセンスを、実際のかたちにするためのポイントを詳しく解説しています。

「課題先進国」ともいわれる日本には、少子高齢化や地域間格差、地場産業における担い手の減少、空き家問題など、さまざまなまちに関する問題があります。しかし一方で、それらの問題を解決することで、未来に、そして世界に、新たな指針を示すことができます。

そのための一歩を、ぜひ、あなたが好きなまちから考えはじめてみませんか。そして、そのまちづくりに必要なヒントは、本書に盛り込まれています。本書を通じて、ひとつでも多くの

「魅力的なまち」、さらには企業や人が生まれたとしたら、著者として望外の幸せです。

2021年11月

小林大輔

目次

第2章

小さなことから、大きなことへ…。これが弱者の正しい戦い方！

強者の真似をしようとするから成功しない。無理せず自己流の戦い方で挑もう

第3章

真の成功とは「上場」である

まちづくりの場合は「まち上場」。その定義とは？

第4章

【ステップ1】ソリューションの検討

プチ起業という発想をすれば、スタートを切りやすくなる

第5章 【ステップ2】人を巻き込む

ＳＮＳでファンを増やす。ファンをリピーターと仲間に変えていく

第6章

【ステップ3】場をつくり、運営をする

「集客数×非離脱率×客単価」の最大化で収益を出し、再投資を繰り返して成長させる

第7章

【ステップ4】ルールをつくる

短期目標と中長期目標を設定し、それを実現するルールで回していく

装丁デザイン 菊池 祐
本文デザイン・DTP 荒木香樹
図版作成 上村侑加
装丁写真 Anton Balazh/Shutterstock.com
編集協力 山中勇樹、奥山典幸（マーベリック）
出版プロデュース 吉田 浩（天才工場）
校 正 星野マミ

第1章

弱者の正しい戦い方を、9割以上の人が知らない

今までのまちづくりが失敗した理由は、
ほとんど突き止められている

従来のまちづくりが失敗した理由はとてもシンプルなもの

第1章では、「弱者の正しい戦い方を、9割以上の人が知らない」と題して、まちづくりの観点から、本書で提唱する「弱者の戦い方」について解説していきます。

まずは、全体像を概観していきましょう。

これまでのまちづくりは、複合施設の建設をはじめとする、いわゆる「ハコモノ」を中心に行われてきました。あらかじめ立派な建物や最先端の設備などを用意し、建物を建ててそこに人を呼び込むというかたちが一般的です。

各県庁などによくある複合施設はその代表といえます。そうした施設ほど、駅前の一等地に位置していたり、見栄えもコンセプトも面白かったりするのですが、他方で、**期待されるほど活用されていないのが実情**です。

なぜこのような事態が起きてしまうのでしょうか？　それぞれの地域事情に応じて、問題点はさまざまなのですが、大きなポイントとしては**「行政主導で行われている」ことが挙げられます。**行政主導のハコモノを中心としたまちづくりは、なかなかうまくいっていません。

もちろん、行政主導で行われているまちづくりのすべてに問題があるわけではありません。

行政だからこそできることがありますし、公的な観点から行われるまちづくりには、一定の意義や成果があるのも事実です。

ただ一方で、**行政主導のまちづくりには欠けているものがあります。たとえば、ビジネスには必須のマーケティング的な視点や、人を集めるために不可欠なコンセプトなどの要素**が挙げられます。

具体的な例で見ていきましょう。

鳥取県境港市は、『ゲゲゲの鬼太郎』の生みの親として知られる水木しげる先生の出身地です。そこにある「水木しげるロード」には、鬼太郎のブロンズ像をはじめ、お店の売り物や、神社、マンホールのふたまで、至るところに妖怪たちが姿を現しています。

一見すると、水木先生のファンはもちろん、鬼太郎たちに会えるので子ども連れにも人気のスポットであり、成功しているかのように思われます。しかし、まちづくりの観点からすると、非常にもったいないといわざるを得ません。

なぜなら、水木しげるロードから外に一歩でも出てしまうと、妖怪のまちとしてのコンセプトが引き継がれておらず、せっかく訪れた観光客が楽しめないためです。つまり観光客らは、水木しげるロードの中だけで観光し、遊んだり食べたりして、帰ってしまうのです。

このように、「妖怪神社」や「妖怪倉庫」「水木しげる記念館」などのハコモノを用意しても、それらだけで動線が完結してしまう状態は、非常にもったいないと思います。本来であれば、**内外の施設がコンセプトでつながるかたちが理想的**であるといえます。

また、千葉県長生郡にある白子町も同様です。白子町には、300面以上のテニスコートがあり、「日本一テニスコートが多いまち」というコンセプトを掲げています。しかし、水木しげるロードと同じように、テニスをするとみんな帰ってしまうのです。

成田空港からも近い白子町は、『楽天ジャパンオープン』をはじめとした大会に出場する外国人選手などにも利用してもらえる可能性がある立地です。しかし、地元としては「外国のテニス選手を迎える」「テニス選手のための宿泊場所を用意する」という意識が低いといわざるを得ません。

先の境港市の事例と同様に、**せっかく来てくれた人たちについでにさまざまな活動をしてもらうことで、滞在時間を長くする工夫がなされていない**のです。

さらに、直近で開発された事例としては、東京五輪大会で使用された「新国立競技場」が挙げられます。実に1569億円という巨額の資金を投じて建設されたのですが、維持管理費だけで年間約24億円かかることもあり、大会後も運営権の売却が進んでいない状況です。
その結果、所管する文部科学省の「日本スポーツ振興センター（JSC）」は頭を抱えているのですが、よくよく考えてみると目論見自体が甘かったといわざるを得ません。競技場に特化させているために屋根がなく、音響や空調の設備も不十分であり、スポーツ以外での使い勝手が悪いのです。

採算をとるのが難しいと判断されれば、民間企業は手を出しません。このように、**後のことを考えずにハコモノだけつくってしまうと、失敗してしまう**ことになるのです。

こうした事例からも明らかなように、ハコモノをはじめとする施設を設置するだけで、まちづくりがうまくいくわけではありません。**行政が施設をつくり、活用方法を考えずに民間に丸投げしている失敗事例は、実はたくさんある**のです。

「都市計画を立ててからはじめる」から、しくじることが多い

まちづくりを成功させるために必要な考え方として、まず、**都市計画からはじめるのを疑うことが大切**です。たしかに、マスタープランからまちづくりを進めていくことは王道なのです

が、そこに固執してしまうと正しい戦略を実行できません。

この場合の都市計画とは、いわゆる「総合計画」や「マスタープラン」と呼ばれるものです。まちづくりに必要なコンセプトやそこに紐(ひも)づく建築物、さらにはまちの風景などを先に描いて、そこからまちの全体像をつくっていくやり方です。

もちろん、このようなやり方は建築を中心としたまちづくりの基本ではあります。ただ一方で、地域を活性化させたいのであれば、**いきなり都市計画を用意しても、うまくいくとは限りません。特に、ヒト・モノ・カネもだいぶ限られたところでは…。**

むしろ、用意したマスタープランに固執してしまいがちになり、そこにヒト・モノ・カネの多大な支出を伴うため、取り返しのつかない失敗となってしまうケースもあります。これからのまちづくりでは、そうした事態を避けなければなりません。

そこでまずは、「まちづくり」に対する発想から変えていきましょう。つまり、まちづくりに対する「大きなものをつくらなければ」という考え方を、根本から見直していくのです。たとえば、まちの大きさの定義についてです。

みなさんは「まち」といわれると、どのようなイメージを抱くでしょうか？　それこそ、複数の商業施設があり、住宅街があり、病院や公共施設、そして整備された道路や街路樹などが立ち並ぶといったものかもしれません。

ただ、そうした都市のイメージとまちづくりを結びつけていると、なかなかマスタープランから抜け出せません。**最初から複数の拠点、大量の人員、多額の投資を見越して、事業を展開させるようなもの**です。

しかし、よく考えてみてください。あらゆる事業は、どれほど計画的に進めていったとしても、必ず未知数なところが残ります。市場、顧客、社会情勢など、取り巻く諸要素はつねに変化しており、生き物のように揺れ動くからです。

だからこそ、柔軟な対応が求められます。PDCA（Plan Do Check Action）サイクルを回すのはもちろん、素早い軌道修正を前提とした発想や、リスクの早期回避、あるいは社会情勢に合わせた事業転換まで、機敏な意思決定と行動が要求されるということです。

実は、まちづくりにも似たようなところがあります。最初から複数の建物、たくさんの人、公共施設などを見越して計画を立てるのではなく、**小さくはじめて大きく育てていくこと。それこそ、まずは「人が集まる場所」を、ファーストステップにしてみましょう。**

その土台となるのは、「10以上のアクティビティ（活動）がそろうプレイス（場所）」です。

詳しい内容はあらためて後述しますが、たとえば次のようなアクティビティが挙げられます。

- 友人とのおしゃべり
- スポーツをする
- 音楽を演奏する、聴く
- 美味しい食事を楽しむ

こうしたアクティビティを用意するだけで、まちづくりの第一歩を踏み出すことが可能です。「それだけでいいの?」と思った方もいるかもしれませんが、**このくらいハードルを下げてこそ、大きな失敗を避けながらまちづくりをスタートできます。**

このような視点で、まずは、「マスタープランからはじめる」を疑うようにしましょう。

従来のまちづくりの流れこそ、失敗の王道パターン

前項でもお伝えしたとおり重要なのは、まずは小さくはじめて大きく育てること。この点は非常に大切なポイントになりますので、本書においてもさまざまな視点から繰り返し述べていきたいと思います。そしてそれが、起業や経営、ひいてはあらゆるビジネスに応用できます。

わかりやすいのが、ベンチャー企業の失敗事例です。ベンチャーというのは、その名のとお

り「アドベンチャー（冒険）」を語源としていることもあり、成功するよりはむしろ失敗の可能性を念頭に置いているのは明らかです。

最初から大きく成功させることしか考えていない経営者は、よく考えずに王道を歩もうとしてしまいます。いわば、まちづくりにおける「マスタープラン」をつくることに奔走してしまうわけなのですが、そうすると不測の事態に対応できません。

果敢に行動するのは素晴らしいのですが、問題が発生したときに柔軟な対応ができないと、変化の激しい市場で正しい行動をとることはできないでしょう。まちづくりも同様で、軌道修正を加味した戦略立案が欠かせません。

そこで、従来のまちづくりについて考えてみましょう。これまでのまちづくりは、主に次のような流れで行われてきました。

従来のまちづくり

1. 都市計画：総合計画・マスタープランの作成
2. 設備段階：市街地再開発・土地区画整理事業の立案
3. 管理段階：道交法・公園などの公物管理法の制定
4. 活用段階：設置許可制度や指定管理者の整備

このような段階を経て、最終的に利用者の潜在的なニーズや欲求に到達できることもあるのですが、**より戦略的なまちづくりを行うのであれば、手順を逆にする必要があります。**具体的には、次のような流れです。

推奨するまちづくり

1 ソリューションの検討：利用者の潜在的なニーズや欲求を探り、日常生活をより豊かにする新たな機能やサービスを提供・開発

2 担い手の発掘・育成：自由と責任の理念のもと、質の高いサービスを提供できる事業者を発掘

3 空間と運営の設計：持続可能な事業計画を成立させ、土地の風景となる空間デザインの検討

4 ルールづくり：質の高いサービス・機能が、波及・連鎖し続けるための制度や仕組みづくり

高度経済成長期のように、経済が伸びて人口も増えている時代であれば、従来のまちづくりでもよかったのかもしれません。しかし、時代が変わり、環境が変わっている今、私たちはより地域に根ざした新しいまちづくりの方法を模索するべきです。

図1 「従来のまちづくり」と、本書が推奨する「弱者のまちづくり」の比較

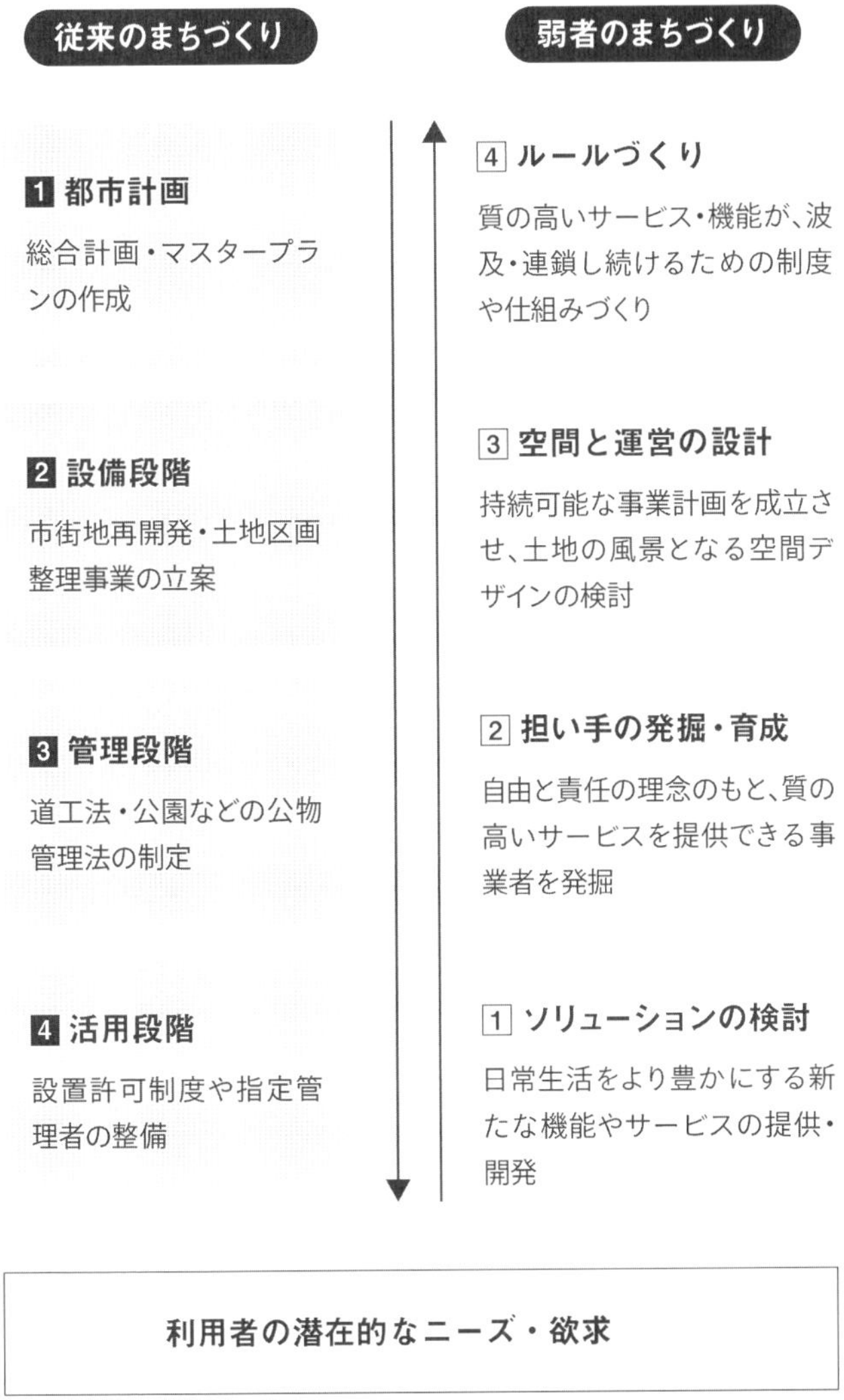

従来のまちづくり

1 都市計画
総合計画・マスタープランの作成

2 設備段階
市街地再開発・土地区画整理事業の立案

3 管理段階
道工法・公園などの公物管理法の制定

4 活用段階
設置許可制度や指定管理者の整備

弱者のまちづくり

4 ルールづくり
質の高いサービス・機能が、波及・連鎖し続けるための制度や仕組みづくり

3 空間と運営の設計
持続可能な事業計画を成立させ、土地の風景となる空間デザインの検討

2 担い手の発掘・育成
自由と責任の理念のもと、質の高いサービスを提供できる事業者を発掘

1 ソリューションの検討
日常生活をより豊かにする新たな機能やサービスの提供・開発

利用者の潜在的なニーズ・欲求

少なくとも、「総合計画の立案→土地の確保→建設→法律の整備→人やモノの配置」のような手順ではなく、きちんとその地域のニーズや欲求を掘り起こしてから、成功の確度を高めていくこと。それが、求められています。

大きくはじめると、ニーズが多様化する現代に対応できない

「小さくはじめて、大きく育てる」というのは、スタートアップや新規事業の鉄則です。最初からヒト・モノ・カネを集め、事業規模を大きくすればするほど、軌道修正がしづらくなってしまいます。それでは方向転換ができないのです。

しかし、さまざまな事例を見てみればわかるように、あらゆる事業には失敗のリスクがつきまといます。「商品が売れない」「サービスが受け入れられない」「市場が小さい」「競合他社が強い」など、その要因を挙げればキリがありません。

ここであらためて、企業経営の基本に立ち返って考えてみましょう。そしてそこには、まちづくりにもつながる重要な要素を含んでいます。ポイントとして挙げられるのは、**「マーケティング」という発想**です。

マーケティングという言葉には、リサーチから広告宣伝、データ分析など、目当てとする市場を理解するためのあらゆる活動を含みます。そしてその結果、顧客が求めるものを理解し、商品やサービスづくり、販売経路の形成、宣伝活動まで、戦略的に行えるようにするのが目的です。

経営学の大家であるピーター・ドラッカー氏は、**「マーケティングの理想は販売を不要にする」**という言葉を述べています。この言葉からも明らかなように、適切なマーケティング活動を駆使すれば、無理に販売することなく事業を成功に導けます。

実はまちづくりにおいても同様で、目当てとする市場（地域）をきちんと調査し、ターゲットとなる顧客（居住者・訪問者など）を理解したうえで、失敗も加味しながら小さくはじめれば、無理に集客する必要はありません。**むしろ、自然に人が集まってきます。**

人が集まってくれれば、**そこで経済活動が行われ、まちとしての「価値」が生まれてきます。**本書で提唱しているのは、まちの価値を高める「まち上場」（後で詳しくご説明します）なのですが、そのためには人が集まる環境と、持続的な経済活動が欠かせません。

企業経営も同様で、ヒット商品を生み出すことも大切なのですが、まずは営利活動を継続できる仕組みが求められます。そのために、マーケティングを駆使して市場調査と商品開発が、反復継続的に行える状況をつくることが必要となります。

ビジネスにおけるマーケティング活動には、商品やサービスを市場に投入したあとのテストも含まれます。つまり、市場調査をしたうえで投入した商品・サービスであっても、必ずしも受け入れられるとは限らないため、テストを通じて見極める必要があります。

その結果、改善が必要だとわかれば改善し、あらためて市場に投入していくこと。その繰り返しによって、いわゆるＰＤＣＡサイクルを回しながら、少しずつ成果へと近づけていく。それが、「小さくはじめて、大きく育てる」の本旨となります。

行政主導のまちづくりには一定の初期投資が行えることもあり、小さくはじめたり、そこから大きく育てたりというケースが少なく限られています。けれども、地方にある文化会館などを見るとわかりますが、ハコモノがあっても機能するとは限らないのです。

大きな計画を立てたい気持ちはわかります。最初にきっちり計画を立てたほうが生産性は上がりやすくなるからです。生産効率を上げることが「正解」であった時代は、それでよかったのかもしれません。建物のみならず、道路や線路などのインフラもしかりです。

しかし、すでに**人口は減少局面に入っており、かつ利用者のニーズも多様化しているのが現代。行政が行う事業としても、いわゆる「最大多数の最大幸福」が見えづらく、幸せのかたち**

を一様に描くことはもはや不可能です。

そうであるならスモールビジネスのように、小さくはじめて大きく育てていくのが適切な対応といえるのではないでしょうか。それはまさに、これからの時代を反映した、まちづくりのあり方といえるのです。

強みがひとつでも見つかれば、ゆっくりでも成功する

ここであらためて、まちづくりの成功確率を高めるための「弱者の正しい戦略」について解説しておきましょう。詳しい解説は第2章でも行いますので、ここでは、その全体像や概要部分ついて理解してみてください。

弱者の戦略として、まちづくりに活用できるのは「ランチェスターの法則（ランチェスター戦略）」です。ランチェスターの法則とは、もともと経営や経済の用語ではなく、軍事分野で使われてきました。それだけに「戦いの基本」を前提としています。

土台となるのは、1914年にフレデリック・ランチェスター氏が著書で発表した理論です。その基軸となるコンセプトとしては、戦闘における人員減少を、数理モデルにもとづいて示しているのが特徴となります。

厳密には「第一法則（弱者の戦略）」と「第二法則（強者の戦略）」から構成されているのですが、詳しい内容は第2章で解説するとして、今の段階では「戦いに勝つための法則である」「弱者と強者で戦い方が違う」くらいに理解しておけば十分です。

さて、ランチェスターの法則の基本コンセプトを、まちづくりに応用するとどうなるでしょうか？　得られる視点のひとつ目は「まちづくりは戦いとして捉えられる」ということ。そして、**「弱者は弱者の戦い方をするべき」**ということです。

すでに述べてきたように、それはまさに、小さくはじめて大きく育てることに他なりません。細かいテクニックについては後述しますが、ここで重要なのは「スモールスタート＆スローディベロップメントの原則（小さくはじめて、焦らずに成長させること）」が肝になるということを覚えておきましょう。

スローディベロップメントの肝は、短期間に大きな建物を大量につくるのではなく、**小さい建物をゆっくり少しずつ建てていくことにあります。そのようにして、連鎖的なまちづくりを行い、まさに「まちを育てていく」**のです。

次項で紹介している代官山は、まさにスローディベロップメントによる成功事例。代官山は40年という長い年月をかけながら、少しずつ今のかたちへと進化し、成長してきました。そのため、現在でも愛されるまちのひとつとなっています。

また、スローディベロップメントにおいては、「とにかく100人集めよう」といった、大規模な集客も目指しません。特に本書では、**「1年かけてまず1万人を目指す」というように、テストマーケティングを経て少しずつ、成長させていくことを推奨**しています。

企業経営でいうところの「スモールスタート・スモールゴール」を繰り返していくこと。その過程で、まちづくりを成功に導いていくのが、弱者の正しい戦い方であり、これからのまちづくりのあるべき姿となります。

ビジネスにもいえることですが、**スモールスタートに必要なのは「強み」**です。むしろ、他にはない強みさえ発見することができれば、**それを軸にまちづくり（事業展開）を進めていき、大きく成長させることが可能**です。

たとえば香川県三豊(みとよ)市には、ボリビアのウユニ塩湖のような海岸「父母(ちち)ヶ浜(ぶ)」があります。海面に自分たちの姿が鏡のように映し出されるのですが、まさに「インスタ映え」するようなスポットです（P37の写真1）。シンプルなスポットですが、それだけでも十分に強みになります。

あとは、そのようなスポットを中心に、周辺施設を少しずつ構築していけばいいのです。たとえば民泊などを活用して宿泊できるようにしたり、古民家を改装して屋台や郷土料理が食べられる飲食店や居酒屋をつくったりなど、できることから進めていきます。

それが、地方の正しい戦い方のベースとなります。そう考えると、**まちづくりというのは決して難しいものではない**のだと、わかっていただけるのではないでしょうか。

人が集まるまでは、まちづくりを進めてはいけない

まちづくりの基本は、一定の範囲内でスタートさせることが肝要です。それは弱者の戦略を実践するうえでもそうですし、範囲を定めることで、試行錯誤を繰り返しながら成長しやすくするためです。

私自身としては、本書で「半径200メートルのまちづくり」と定義していますが、その中には、「プレイス」「エリア」「ダウンタウン」という各段階があります。そのような発展過程を経て、まちづくりを進めていくのを理想としているのです。

すでにお伝えしているように、初期としてのまちの定義は「10以上のアクティビティ（活動）が集まったプレイス（場所）」からはじめるのが基本となります。こうした**アクティビティは、「人が集まる仕掛け」を内包しており、その街が発展する足掛かりとなります。**

私は「半径２００メートルのまちづくり」とともに、まちづくりには「アクティビティファースト（活動拠点をつくるところからはじめる）」という発想が欠かせないと考えています。つまり、半径２００メートルという限られたスペースに、まずは人を集めることを目指すという発想です。

それは、街の発展過程にも関連しているのですが、**最初の段階で人を集められないと、まちづくりはうまくいきません。**

それこそ、顧客を獲得できる見込みがないいま、商品やサービスを開発してしまう企業と同じ結果になってしまいます。マスタープランからスタートするまちづくりも、実際に人が集まる経験がないまま大きくはじめてしまうため、希望的観測が強すぎる側面があります。

写真1．父母ヶ浜の様子の一例

そうではなく、人が集まることを見越して、アクティビティを手掛けていく。この点は、本書で提唱するまちづくりの重要ポイントなので、あらためて、どんなアクティビティが考えられるのかを具体的に列挙してみましょう。

- 偶然、知人と会う
- 買い物をする
- 勉強や読書をする
- 異業種交流の企画に参加する
- 友人とのおしゃべりに興じる
- スポーツをする
- 音楽や舞台などエンターテインメントを満喫する
- 美味しい食事を堪能する
- 夜、恋人とお酒を楽しむ

それぞれのアクティビティを見てみるとわかりますが、いずれも「人が集まる」ことを念頭に置いています。つまり、あらかじめ顧客を獲得できるであろうことを見越して、戦略的なまちづくりのファーストステップを提示しているのです。

これがアクティビティファーストの発想なのですが、その土台となっているのは、都市デザインを推進するアメリカの組織「PPS（Project for Public Spaces）」が提唱する、「ザ・パワーオブ10」という考え方になります。

こうしたアクティビティが10以上集まって「プレイス」になり、今度はそのプレイスが10以上集まって「エリア（地区）」となる。さらには、エリアが10以上集まったものとして「タウン（街）」が形成されることとなっています（※出典：『プレイスメイキング：アクティビティ・ファーストの都市デザイン』〈園田 聡／学芸出版社〉）。

エリアに該当するものとしては、「港湾地区」「公園」「路地」などがあり、タウンに該当するものとしては「商店街」「交通拠点地区」「ビジネス街」などがあります。

このようにして、まちを大きく捉えるのではなく、人が集まるところから少しずつ広げていくこと。そうした発想が、本書におけるまちづくりの基本となります。繰り返し述べているように、小さくはじめるのがポイントです。

図2 「プレイス」「エリア」「タウン」の関係

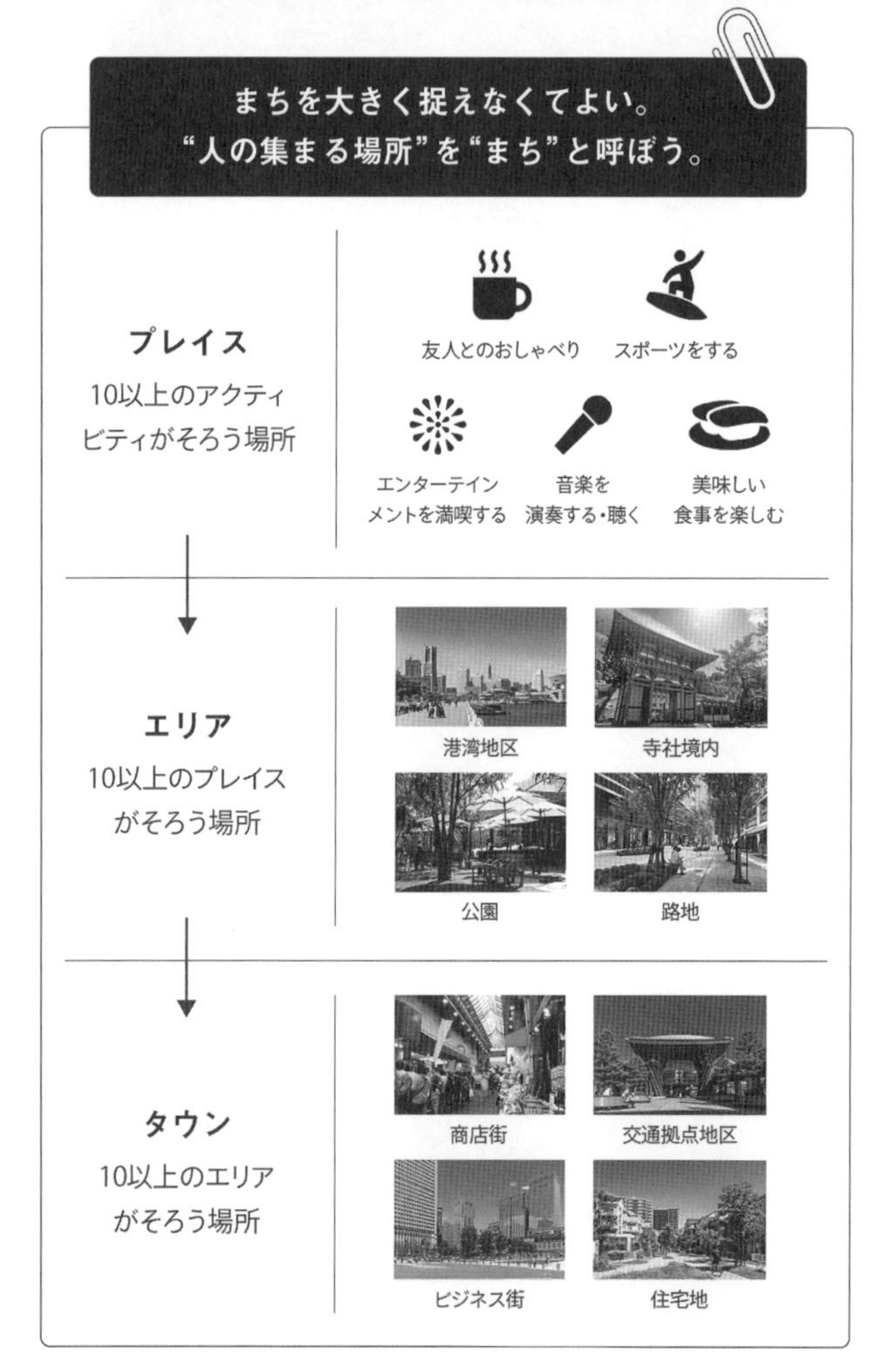

※出典：『プレイスメイキング：アクティビティ・ファーストの都市デザイン』（園田 聡／学芸出版社）
※素材提供：日本デザインセンター／ EXPERIENCE JAPAN PICTOGRAMS
https://experience-japan.info

小室哲哉の戦略は、マスタープラン寄りの戦い方である

「市場環境」という視点からまちづくりや企業経営について考えてみると、かつての市場と現在の市場とでは、前提条件が大きく様変わりしているのがわかります。少し時代をさかのぼりながら、まちづくりや経営の秘訣を探っていきましょう。

日本の高度経済成長期においては、急成長する日本経済を背景に「大量販売・大量消費」が行われていました。それが戦後復興期の日本を先進国へと押し上げた要因であるのも事実です。

その後日本は、1990年代のバブル景気へと突き進んでいくわけですが、平成を象徴する存在として小室哲哉さんが挙げられます。昭和の中盤から後半に生まれた人の中には、小室さんの音楽に親しみながら青春を謳歌した人も多いのではないでしょうか。

自身の音楽ユニットであるTM NETWORKでの活躍はもちろん、歌手への楽曲提供からプロデュースまで、全盛期はまさに「小室の時代」と形容できるほどの人気ぶりでした。いわゆる小室ファミリーとして、観月ありささん、篠原涼子さん、TRF、hitomiさん、内田有紀さん、H Jungle with t、dos、globe、華原朋美さん、安室奈美恵さんらの活躍は、記憶に新しいことと思います。

さて、なぜここで小室さんの話をしたのかというと、それは、**小室さんの巧みな戦略性と実行が、まちづくりや経営にも活かせる**と思われるからです。たとえば、「スピード経営」という視点で考えてみましょう。

小室さんが成功した秘訣として、ロサンゼルスやロンドンなどで流行している音楽をいち早く日本にもってきて、日本で展開した手腕が挙げられます。それはまさに、海外の技術やトレンドを日本に輸入し、大々的に展開して成功をおさめる起業家の手法と似ています。

もちろん、海外で流行したものをそのまま日本にもってきても、うまくいくとは限りません。また、ゆっくりじっくり日本に浸透させようとしていると、ライバルの追随(ついずい)を許してしまい、結果的に商機を失ってしまうこともあるでしょう。

その点、小室さんは日本の音楽市場をよく理解し、素早くかつ的確に音楽を輸入したといえそうです。事実、ダウンタウンの浜田雅功さんがＨ Ｊｕｎｇｌｅ ｗｉｔｈ ｔとして歌っている『ＷＯＷ ＷＡＲ ＴＯＮＩＧＨＴ～時には起こせよムーヴメント～』という曲は、むしろアメリカで流行しそうなときにはすでに日本で流れていました。

驚くべきなのは、**小室さんがありとあらゆるディープな音楽まで聴き込んでおり、その結果、幅広い引き出しをもっていたことでしょう。だからこそ、最適なタイミングで楽曲を手掛**

け、次々とヒット曲を飛ばすことができたのです。

そのような小室さんの手法は、もちろん本人のセンスや手腕も大きいのですが、いわば「正解にたどり着く」までのスピードと精度で築いた栄光と考えられます。実はそうした要素は、ビジネスの成功法則としてもそのまま当てはまります。

ひとつひとつ例を挙げるまでもありませんが、たとえば急成長してきたインターネット関連の事業は、**海外の事例を参考にしつつ、素早く日本市場にアレンジして大成功しているものがほとんど**です。その点、優れた起業家ほど、早い段階で海外を訪れています。

シリコンバレーなどはその代表ですが、そこで話題になっているテクノロジーやサービスなどを見て、日本市場に合うように提供すれば、大きなチャンスをつかめる可能性があります。「正解にたどり着く」までのスピードと精度を高めることは、やはり成功の王道なのです。

このことはもちろん、まちづくりや経営にも応用可能です。弱者の場合、**大きな成長は焦らなくていいのですが、小さくはじめたら、軌道修正は小室さんに見ならい素早く、そしてアイデアは外部を大いに参考にしてアレンジして取り込むというのが成功しやすい**ということです。外部でどんな取り組みがされているのかという情報は多いほど有利で、そのためには**情報収集**

もある程度は必要になります。

ただし、現代はかつてのような〝大勢が考える正解に向かっていく時代〟とは異なります。事実、音楽シーンでもボーカロイドでつくられた曲がＳＮＳを席巻し、米津玄師さんやＹＯＡＳＯＢＩはボーカロイド出身。これまでとは異なる多様なニーズに対応したものが登場し、受け入れられています。つまり、弱者の戦略を活用し、個別化されたニッチな需要にフォーカスすることが不可欠となっているのです。

以上から、弱者が小室さんから真似できるのは、迅速性と先手必勝（一番乗りが大事）ということでありますが、最初からその他大勢に向ける必要はありません。

それよりも、自分たちの規模で考えれば十分な数となる人を呼び込んだり収益に値したりすることであれば、積極的に取り組みたいということです。

次章以降では、そのためのヒントを掘り下げていきましょう。

第2章

小さなことから、大きなことへ…。
これが弱者の正しい戦い方！

強者の真似をしようとするから成功しない。
無理せず自己流の戦い方で挑もう

ランチェスターの法則にならい、弱者は独自路線の局地戦で挑め

第2章では、第1章でも簡単にふれている「弱者の戦略」について、詳しく解説していきます。弱者の戦略を通じて、これまでとは異なる現代的なまちづくりのあり方について知り、併せて経営的な視点も養っていきましょう。

そもそも弱者の戦略とは、軍事戦略をベースにした「ランチェスターの法則（ランチェスター戦略）」を基本とする考え方です。中小企業やベンチャー企業の経営戦略としても広く活用されており、それをまちづくりにも活かすことが可能です。

すでにご紹介しているように、ランチェスターの法則は「第一法則」と「第二法則」のふたつから構成されています。

第一法則は「弱者の戦略」と呼ばれ、近距離での古典的な戦闘（槍（やり）や剣を使用）に適用されるもので、同じ能力であるのなら数が多いほうが勝つことを示しています。

たとえば、兵士30人のA軍と兵士20人のB軍が戦った場合、一人ひとりの能力は同じであると見なし、A軍が10人残して勝利することになります（このとき、B軍は0人残る。つまり全滅）。このように、第一法則では1対1の比率で兵力が交換されるのが特徴です。

このことをビジネスに応用すると、兵力の数で劣る中小企業は、大企業が攻め込んでいる（高いシェアを有している）分野では太刀打ちできないこととなります。そこで、どの分野でどのように戦うべきなのか冷静に見極める必要があります。

具体的には、**「大企業が参入していない分野を見つけて集中的に攻める（集中戦略）」「自社の強みを活かして勝てる分野で戦う（差別化戦略）」などを駆使し、大企業とは勝負しないかたちで戦いを有利に進めていきます。**

まちづくりに関しても同様です。東京23区や大阪の都市部、あるいは京都市や福岡市など、ヒト・モノ・カネが潤沢なところと同じような戦い方をすると、兵力（資金力や人員などのリソース）の差によって、なかなか太刀打ちできません。

そうではなく、**特定の強み（景観鑑賞や食事などのアクティビティ）を活かせるスポットを積極的に選び、その強みを他にはない差別化ポイントとして提示していくこと。そのような「局地戦」を展開することが、第一法則の応用となります。**

一方で、第二法則は「強者の戦略」と呼ばれ、現代的な遠距離の戦闘（銃やミサイルを使用）に適用されるものです。このときの攻撃力は、兵士の数の2乗に比例します。

たとえば、先ほどと同じくA軍が30人、B軍が20人で戦った場合、A軍の攻撃力は30の2乗で900、B軍の攻撃力は20の2乗で400。A軍のほうがB軍よりも、900÷400＝2・25倍の攻撃力をもつことになります。A軍がa人減ったときにB軍の20人が全滅するとすれば、a×2・25≒20という計算となり、a≒8・888…。つまりA軍が9人減って21人が残り、B軍はこのとき全滅します。

このように**遠距離の戦闘では、人数が多い軍の方が第一法則での近距離戦よりももっと有利になる**のです。

これをビジネスに応用すると、**兵力が多い大企業は、積極的に他分野という遠距離へと参入し、市場を拡大していくべき**と考えられるでしょう。それはまちづくりでも同様で、豊富なリソースがあるなら多ジャンルで展開していくのが賢くなります。

もっとも、本書で提案しているのは**弱者の戦略であるため、ランチェスターの法則でも特に第一法則を主軸としています。**つまり、多くのリソースを避けない人や地域が、他にはない各地の強みを活かし、小さくはじめて大きく育てていくやり方です。

少なくとも、東京や大阪、福岡のような戦い方をとるのではなく、あくまでも独自路線で勝負すること。そのために、各地域の強みをきちんと見極め、アクティビティファーストで小さくテストしながら進めていく。それが、まちづくりの基本となります。

まちづくりは、ベンチをひとつ置くだけでもはじめられる

繰り返しになりますが、まちづくりの原則は「スモールスタート&スローディベロップメント」となります。まちづくりの最小単位をアクティビティとし、その最もミニマムな単位からはじめていくのがファーストステップとなります。

アクティビティの種類としては、買い物や食事、読書、スポーツ、エンターテインメントまで、さまざまなものがあるということでした。その中から、各地域や場所に合うアクティビティを選ぶことが、最初の行動になります。

具体的に**アクティビティの最小単位を考えてみると、「空いているスペースにベンチを置く」というのもひとつの方法**です。たとえば、海が見える空きスペースにベンチを置き、そこに座って自然や景観を楽しむというアクティビティをしてもらう。それだけでもいいのです。

自然や景観が楽しめるベンチがあるだけで、そこに人が集まる可能性があります。こうした最小単位のアクティビティから人の行き来が生まれ、そこからまちづくりがスタートされていくことになるのです。

「景色がきれいな海辺に置かれたベンチ」というだけでも、人の心は動きます。「そこに行こう！」と思ってもらえれば行動が生まれ、行った先で得られた体験から、食事や宿泊といった

次のアクティビティへの広がりが検討できます。

具体的には、ベンチに座っている人が次のようなことを考えるかもしれません。

- 美味しいお酒と料理を飲み食いしながら、この景色を堪能したいな
- 思い出として写真に残したいな
- ベンチでコーヒーでも飲みながら、読書するのもいいな
- ハンモックも用意して、眠くなったらそこで寝るのもいいな
- 音楽を流しながら、まったりしたいな
- たくさんの友人を呼んでバーベキューがしたいな
- 今日は夕焼けを見たけれど、もっとゆっくりできる日はここで夜空でも眺めたいな

このような希望が膨らんでいくと、それを実現するためのアクティビティに需要があることがわかります。「ベンチを置く」という最小単位のアクティビティからはじまったこのまちづくりに、次の展開が期待されるというわけです。

屋台やキッチンカーをはじめとする飲食店を設置するのはもちろん、ベンチだけでなくバーベキューやキャンプができる設備、ハンモックやテント、さらには写真サービスや宿泊施設ま

写真２．海辺、見晴らしのいい高台にベンチを置いた例

で、アクティビティを実現するものとしては、さまざまな広がりが生まれます。

それらの**アクティビティを単独ではなく、有機的につなげていくことによって、地域としての価値がより高くなっていきます。**もちろんそこには、人の希望が反映されており、経済活動に結びつくようなポテンシャルがあるわけです。

「モノ消費からコト消費へ」といわれて久しい昨今。各地域に存在する強みを活かし、適切にアクティビティができるものを配置するだけで、まちづくりの成功確度を高めていくことができます。そのきっかけは「ベンチを置くこと」でいいのです。

従来型のマスタープランにはじまる大規模なまちづくりと比較すると、非常に簡単でハードルが低く、リスクも小さいです。それでいて少しずつとはいえ、非常に高い確率で成長していけるため、将来性があり、可能性が大きく広がることも期待されます。

このように、弱者の戦略を加味したスモールスタート&スローディベロップメントの原則は、都心ではなく、地方のまちづくりを推進する力があります。それも大きな組織ではなく、小さな団体、あるいは個人からでもはじめられます。

そして、これから成長するポテンシャルのある地域の大半は、こうしたまちづくりが最適だと思うのです。

代官山のまちづくりが成功したのは、単に都心にあったからではない

弱者の戦略として、前章でも申し上げた「半径200メートルのまちづくり」を実践し、成功している事例はたくさんあります。その中でも、**特に私が理想としているのが代官山**です。朝倉家が行った代官山のまちづくりは、非常に優れた稀有な好例といえます。

ご存じの方も多いでしょうが、代官山は東京都渋谷区にあるまちです。アパレルショップやレストラン、カフェが立ち並び、「日本有数のおしゃれなまち」としても広く知られています。代官山と聞くだけで、アートや文化のセンスがいい白を貴重とした街並みが思い浮かぶ人もいるでしょう。

そんな代官山ですが、実はまちづくりという観点でも優れています。あまり知られていないことなのですが、**実に40年という期間を経て、少しずつ形成されてきたのが特徴**です。そこには、いわゆる「朝倉家ならではのまちづくり」があります。

代官山のまちづくりにおいてポイントとなるのが、旧山手通りにある「ヒルサイドテラス」です。ヒルサイドテラスは、店舗やオフィス、住宅などからなる複合施設で、独自のコンセプトが多くの人に愛されています。

図3　代官山の半径200メートル以内の様子

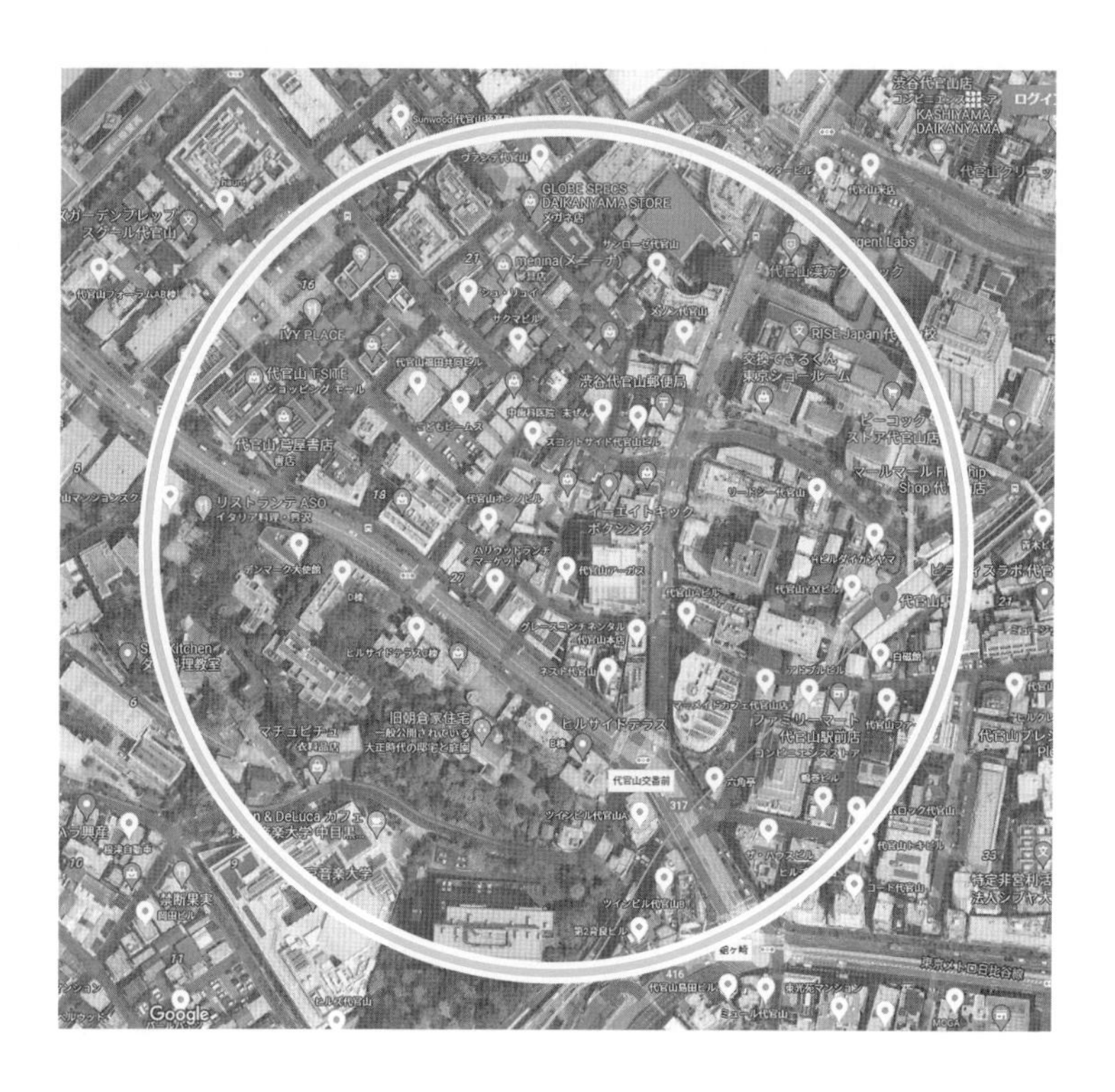

©Google

東京在住者以外からも広く知られている代官山ですが、実はその範囲はそれほど広くありません。地図を見てみるとわかりますが、たとえば10棟以上の建物からなるヒルサイドテラスも、交差点から直線距離で200メートル強の範囲内に並んでいます。代官山駅などを含めても、**半径200メートルの範囲にすべてすっぽりと入るかたち**です（P54の図3）。

この半径200メートルという範囲内に、衣・食・住だけでなく、代官山およびヒルサイドテラスのコンセプトに沿ったアクティビティが展開されています。まさに、アクティビティファーストの発想を地道に展開してきた証拠です。

しかも、最初の計画がスタートした約50年前には、今のようなアパレルショップやレストランなどは一切なく、それこそ一軒一軒、まちのコンセプトに合うテナントを探してきたとのこと。つまり、**「小さくはじめてきた」**というわけです。

それぞれの建物に、その時代に合わせたおしゃれなショップや人気の飲食店が入ったり、アートギャラリーやテラスでのピアノコンサート、パーティー、セミナーまでさまざまなイベントを開催できるスペースも設けられたりしています。

このように代官山は、ヒルサイドテラスを中心に複数のアクティビティが連なり「プレイス（場所）」となってから、多くの人が訪れるようになりました。そして、周辺に雑貨やファッションや飲食店が並ぶ「エリア（地区）」へと拡大し、50年かけて大きな「タウン（街）」へと成長しています。

ここで重要なのは、代官山が他のまちにはない独自の価値を提供したことです。特に200メートルのまちづくりでは、**何らかの特徴をつくってとがらせることが大事**です。

たとえば「テニス好きが集まるまち」「音楽好きが集まるまち」「K-POP好きが集まるまち」などがその代表です。事実、高円寺には古着好きやバンドマンが集まっていたり、新大久保は「リトルコリアン」というコンセプトがあったり、秋葉原の電気街、西池袋の文化街など、成功しているまちはとがった要素が含まれています。

そんな代官山「ヒルサイドテラス」をつくったのは、代々この場所の地主である朝倉家と建築家の槇文彦（まきふみひこ）氏です。「以前に建てていたような四角い鉄筋アパートとは違うことをやりたい」と、朝倉家から槇氏へ依頼したことがきっかけです。

その後、30年におよぶ都市計画へと発展した代官山は、成功事例として世界的にも注目されるようになりました。ヒルサイドテラスを解説する書籍から、当時の意思決定を象徴する言葉を引用してみましょう。

「ヒルサイドテラスが「ハコ」をつくって、売って終わり、という開発とは決定的に異なるのは、そこに開発者である朝倉家が住みつづけていることである。その長い年月をかけた開発のバックボーンとなったのは、地域社会の中で何ができるのか、その責任の所在を問いつづける、代々そこに住みつづける施主とひとりの建築家との深い信頼関係に基づく協働であった」

（※出典：『ヒルサイドテラス物語　朝倉家と代官山のまちづくり』〈前田礼著／現代企画室〉）

このようにして代官山は、東京都心という大都会の中にありながら、高層・高密度のビル開発とは一線を画す方法で、大手ディベロッパーではなく、イチ中小企業が主体となってまちをつくり上げてきました。

朝倉家としては、事業を拡大したり大規模な開発をしたりすることも可能であったはずです。しかし彼らは、**短期的に儲けるのではなく、いかに空間を活かし、長期にわたり快適な場所として保たれるかを重視**していました。

その結果、代官山という土地の価値を高め、多くの人に愛されるまちをつくり上げることに成功しました。こうした代官山の歴史は、地方のまちづくりを考える人にとっても、これ以上ないといえるほどの学びが詰まっています。

絶対王者の京都に、真っ向勝負を挑んではならない

まちづくりというと、つい、他の地域の成功事例を見てしまうということがあるかもしれません。たしかに成功事例から学べることも多いのですが、そこにある「地域差」を理解していないと、正しい戦い方はできません。

たとえば、まちづくりの参考に京都を手本にしたらどうなるでしょうか？　京都はかつて都があった場所であり、歴史的には７９４年の平安京から、まさに日本の政治・文化の中心地であったことは言うまでもありません。

そのため、まち全体としても他所とは異なる趣にあふれ、歴史的建造物や景観、各種アクティビティまでを含めて、他では体験できないものがたくさんあります。

ただそれは、あくまでも**京都ならではの強みであって、他の地域でも真似できるとは限りません。**

まちづくりとして、人を集めたり人流をつくったりすることを考えると、「京都はこうしている」「あそこの真似をしてみよう」などと安易に考えがちですが、**たとえ真似できたとしても、それでうまくいく可能性は小さい**といわざるを得ません。

なぜなら京都には京都の強みがあり、京都が参入する市場は大企業のような「強者」の主戦場であるからです。そこで行われている戦いは、大きなパイをいかに獲得するか、です。**地方や小規模な地域では参戦できるような市場ではありません。**

少し視点を変えて考えてみましょう。たとえば、インバウンド需要が盛んであったとき、東京都内でも民泊を実施しようとする個人がたくさんいました。そのムーブメントはやがて中小企業から大手企業へと流れ、参入者間の体力勝負となっていったのです。

このような大手企業が参入してしまった市場ではもはや、個人や中小企業はなかなか太刀打ちできません。独自のコンセプトを打ち出せればいいのですが、それにも資力が必要ですし、かつ東京都は土地や賃料が高いので採算性にも疑問が残ります。

つまり、あえて東京というレッドオーシャンで勝負するだけのメリットが乏しいのです。しかも勝てる見込みが少ないとなれば、その市場は避けるべきでしょう。むしろ、参入者が少なく、独自の魅力がある地域を狙ったほうが得策です。

そもそも民泊というのは、宿泊場所としての魅力というより、「宿泊する場所を提供する」ことが主軸です。そう考えると、その場所に何らかの魅力的なアクティビティがあるものの、宿泊施設がない状態、つまり需要だけがある場所こそ狙い目だとわかります。

宿泊代金でそれほど差をつけられるとは考えにくく、参入者が増えてくれば価格も落ち着いてきてしまうので、とにかくまずは地方（田舎）の魅力的な場所を選んで参入すること。それが、弱者の戦略を活かした民泊の基本となります。

このことは、不動産投資でも同じことがいえますし、一般的なビジネスにも当てはまるでしょう。つまり、**「安く仕入れて高く売る」のが投資やビジネスの基本であることを考えると、まずは安く仕入れるのが最善**だとわかります。

まちづくりも同様で、「ベンチを置く」という低予算のアクティビティからスタートすれば、そこから生まれる需要に高い価値がつくこともある。周辺のアクティビティに広げていくというのは、土地の価値が高まるということなので、考え方としては同じです。

最初から**京都と勝負しようとしたり、京都の真似をしたり、あるいはレッドオーシャンに参入したりなどの発想は、失敗する確率を高め、リスクを大きくしてしまいます。**そうではなく独自路線を軸に、最小限のリスクではじめていきましょう。

小さくはじめたほうが、味方が集まりやすい

ここであらためて、弱者の戦略がまちづくりに必要な理由と、そのメリットについて確認しておきましょう。弱者の戦略の有用性をきちんと理解しておかないと、徐々にこれまでのやり方へと流れてしまい、結果的に失敗してしまう可能性があるためです。

さて、まちづくりにおいて弱者の戦略を活用する理由を、大きな失敗を避け、少しずつ成長させていきながら、成功確率を高めていくという視点で列挙してみます。主に、次のようなメリットが挙げられます。

まちづくりのハードルが低くなる
支出する資金や手間も小さくて済む
人を集めやすい
土地や建物を用意しやすい
権利者・管理者からの理解も得られやすい
無理が少ないから、持続しやすい

まず、まちづくりのハードルに関しては、第一歩が踏み出しやすくなるという点で意義があります。「この地域を盛り上げたい」「もっとまちをよくしたい」などと考えていても、計画ばかり練っていては動き出しません。やはり、**行動を起こすことが大切**です。

その点において、**支出する資金や手間が小さくて済むということは重要**です。最初から多くの資金をかけ、人員を集めてまちづくりを行ってしまうと、失敗したときのリスクが大きくなり、柔軟な方針転換や別の施策へも移行できません。

加えて、**小さくはじめれば人を集めやすくもなります。**個々人に多大な負担がかかる事業は敬遠されがちですが、それこそ「ベンチを置いてみる」ような、小さな活動から協力してもらうと、まちづくりに参加しやすくなるのです。

では、土地や建物に関してはどうでしょうか。やはり、どんなまちづくりも、最終的には地元の工務店や不動産業者と協力する必要があります。その点、**人が集まるプランを用意し、実行できる状態をつくれば、土地や建物も用意しやすくなります。**

このことは、**権利者・管理者からの理解が得られやすくなることにもつながります。**大手企業が行うような大規模開発は、大きな成果を得やすい反面、地権者などの反発を招きやすいのも事実です。他方で、小さくはじめるまちづくりは、その地域の特徴を活かすものであり、理解のハードルも低いのです。

最後に、**持続性**という観点ではどうでしょうか。まちづくりはビジネスと似ていて、一過性のものではなく、反復継続していくことが大事です。人が集まる名所も、最初はごくわずかな人しか知らなかったのが、口コミなどで徐々に広がっているケースが多いのです。

特に昨今は、インスタグラムをはじめとするSNSで情報が共有され、水面下で話題になることも増えています。**大規模な広告戦略とは異なり、じっくりと人気が広がっていくため、継続的な事業の足固めにつながります。**

このように、まちづくりと弱者の戦略は非常に相性がいいのです。

ところで、地方創生は、次のように定義されています。

「地方創生とは、少子高齢化の進展に的確に対応し、人口の減少に歯止めをかけるとともに、東京圏への人口の過度の集中を是正し、それぞれの地域で住みよい環境を確保して、将来にわたって活力ある日本社会を維持していくことを目指すものです。」（※出典：「財務省北陸財務局」のサイト）

このようなビジョンを実現するためには、国や行政だけでなく、民間の働きかけが不可欠です。それも、大きな団体ではなく、**個人を含む小さな活動から進めていくことが求められます。だからこそ、まちづくりと弱者の戦略には親和性がある**といえそうです。

「原価思考」はもう古い！　シン時代の発想「価値思考」とは？

弱者の戦略をまちづくりに応用するとき、非常に重要なことがあります。それは、**「原価思考」から「価値思考」へ移行させること**です。**原価思考とは、かけた予算から逆算すること**であり、**価値思考とは生み出される価値を主軸にすること**です。

ひとつ事例を見てみましょう。徳島県上勝（かみかつ）町は、人口が1500人弱の小さなまちです。人口の半分が65歳以上であり、面積の86％が山林という、いわば山奥の田舎となります。見方によっては、限界集落のような特徴も含まれているかもしれません。

そんな上勝町なのですが、あるビジネスが順調なようです。わかりますか？　彼らが手掛けているのは、〝葉っぱ〟が大いに関係しています。

旅館や料亭などで食事をすると、料理の横に「つまもの」が添えられていることがあります。

たとえば、色鮮やかな季節の葉っぱがお皿のふちに添えられているのを、見たことがある方も多いのではないでしょうか。これのことです。

上勝町では、その**つまものを全国の料亭に出荷することで、地域ならではの「葉っぱビジネス」を成功させています。**

発起人は、農協職員の横石知二さん（現：株式会社いろどり代表取締役）。横石さんは、町の高齢者や女性が活躍できる仕事を模索する中で、山々にある〝葉っぱ〟に注目。葉っぱをつまものとして販売するという斬新なアイデアを考案されました。生産農家や農協とも連携しながら、全国各地に厳選の葉っぱ「彩（いろどり）」をお届けし、多くの方から支持されています。

この葉っぱビジネス、スタートしたのは１９８６年のこと。すでに40年近く続いている事業であり、現在では仕組みが確立されています。株式会社いろどりのホームページには、その仕組みが次のように説明されています。

「営農戦略・栽培管理は農家、受注・精算・流通は農協、市場分析・営業活動・システム運営は私たちが行う、三位一体のビジネスです。特徴は、商品が軽量できれいであり、女性や高齢者が取り組みやすいことです。多品種少量生産であり、種類は３００以上、１年を通して出荷しています。現在上勝町内の農家は約１５０軒。年商は2億６０００万円。中には、年間売上

が1000万円を超えるおばあちゃんもいます」(※出典：「株式会社いろどり」のサイト)

さらに株式会社いろどりでは、パソコンやタブレット端末から「上勝情報ネットワーク」にアクセスし、受注情報、市場情報、今後の予測、栽培管理情報を駆使するなど、まさに情報通信技術活用によるビジネスの成長も実現しています。

このビジネスのおかげでまちには活気が生まれ、**まちづくりのモデルとしてメディアにも取り上げられています。**2012年には映画『人生、いろどり』にもなりました。そこから波及するように、**農業体験希望者や移住希望者も増えている**そうです。

さて、この上勝町の事例からわかることは何でしょうか？ ポイントはふたつあります。**ひとつは、自分たちのすぐ近くにある環境の価値に気づいたこと。そしてもうひとつは、原価思考をしなかったこと**です。

まちづくりも経営もそうですが、うまくいかずに苦しんでいる人ほど**「原価で考える」癖**がついています。原価を計算して、そこに自分たちの利益を乗せて価格を出すという考え方です。しかしそれでは、**儲けの幅が決まってしまいます。**

一方で、「最終的にどれくらい価値を生むのか？」から出発して、その後に原価を検証するのが「価値思考」。すると、儲けの幅は割と自由に設定できます。

身近にある資源に気づき、かつそれを原価で考えるのではなく価値として捉えること。それによって、地域全体を活性化させるほどのビジネスをも生み出すことができます。上勝町における生産農家・農協・株式会社いろどりの三位一体の取り組みはまさに、そのもっとも優れた事例のひとつと言えそうです。

「強み」は「相対的評価」でこそ見つかる場合が多い

弱者の戦略を基本とするまちづくりでは、これまでのまちづくりで**「当たり前」としてきたことを、あえて見直すという視点が欠かせません。**その際、**そこに住んでいる人は気づきにくいものでも、外部の人が気づくということもあります。**

たとえば、前項で紹介したような徳島県上勝町の「葉っぱビジネス」に関しても、山深い地域に住む人にとっては「どこにでもあるもの」「珍しくないもの」と認識されているかもしれません。その点、そこに価値を見出すのは容易ではありません。

一方で、東京や大阪などの都市部に住む人からすれば、紅葉した美しい葉っぱすら珍しいものであり、非日常を体験できる貴重な素材となります。地元の人ではなく、都会に住む人だからこそ気づける価値かもしれません。

そこで、これからまちづくりを行う人は、あえて馴染みのない地域に着目してみるのもひとつの方法です。そこに住んでいる人ではないからこそ見つけられる価値があり、それが大きな成長につながっていく可能性もあるからです。

その地域を分析し、**定量評価**することも大切なのですが、ぜひ数値化できない強み・弱みにも着目してみてください。**どのような価値があり、それがどのような需要に応えられるのかは、絶対的な評価だけでは限界があり、相対的な評価もすることで見えてくる**からです。

この作業はいわば、地域における潜在能力の診断となります。結局のところ、他にはない魅力を見つけ出し、それが求められれば可能性はあります。相対的な評価でこそ浮き彫りにしやすいライバル地域にはないものさえ見つければ、そこからチャンスが広がっていくのです。

そのときに、前項で紹介した**「価値思考」が役立ちます。**原価ではなく価値に着目することによって、「何が強みなのか」「何が求められるのか」などの視点から、まちづくりのきっかけを探ってみましょう。そのような思考実験が、まちづくりの「相場観」を養えます。

わかりやすいところだと、「雪が少ない国の人には、雪があるだけで魅力となる」ということです。いつも雪がある地元の人は、それを価値とは思いませんが、そうでない地域の人には訪れる理由になります。

また、「海がない地域の人には、海があるだけで魅力になる」のもそうです。沖縄などはまさにそうで、きれいな海でゆっくり泳ぐことができない本州の人にとって、飛行機を使ってでも訪れる価値があるといえるのです。

これらの例はあくまでもわかりやすいものであり、各地域にある強みは必ずしもすぐに見つかるとは限りません。だからこそ**いろいろな地域を訪れて、相対的な視点を養うことが大切。**比較しながら、その場所にしかないものを探してみるのです。

具体的には、第1章でもご紹介した香川県三豊市にあるウユニ塩湖のような「父母ヶ浜」の絶景などはまさに強みとなりますし、洞窟(どうくつ)が紡(つむ)ぎ出すハート形の光とホタルで有名な千葉県の「濃溝(のうみぞ)の滝」もそうです。また、和歌山県にある通称ラピュタ島と呼ばれる「友ヶ島」も同じです。

いずれも、地元の人からすればそれほど魅力的ではないかもしれません。あるいは、すでに何度も訪れていることから、わざわざ人を集客できるポイントに挙げない人もいるでしょう。

しかしそんなところが、人を集めるポイントになるのです。

ただ、友ヶ島などには宿泊施設がなく、ラピュタの世界観を堪能しただけで帰ってしまう現状もあります。つまり、**まだ十分に開発されておらず、ポテンシャルがあるといえそうです。**

このようなスポットが、日本全国にはたくさんあります。

第3章

真の成功とは「上場」である

まちづくりの場合は「まち上場」。
その定義とは？

まちづくりも株やモノと一緒。価値(単価)×取引数で決まる

第3章では、第1章および第2章で解説してきた弱者の戦略をふまえて、まちづくりの成功について定義していきましょう。これからのまちづくりは、どのようなゴールを描いていけばいいのでしょうか。

身近な商品やサービスについて考えてみるとイメージしやすいのですが、**ビジネスにおけるモノの価値は「単価×取引数」が基本**です。**価格があり、それがいくつ売れたかで、価値が測れる**わけです。

たとえば、100円のガムが100個売れた場合、その価値は1万円となります。一方で、1000円の定食が10セット売れた場合、その価値も同じく1万円になります。このようにお金で換算すると、モノの価値は非常にシンプルになります。

以上の発想を、**会社(法人)に応用したのが時価総額**です。会社の価値がどのように算出されているのかというと、株式会社の場合は「株価×発行済株式数」となります。この計算式によって算出される額を「時価総額」と表現しているわけです。

株式市場に上場している企業の株を考えてみるとわかりやすいのですが、人気のある銘柄ほどたくさんの人が購入しています。そして、あらゆるモノの価格がそうであるように、買いた

い人がいればいるほど、その価格は高くなります。

これを不動産に置き換えると、まちづくりを金銭価値として捉えることが可能となります。さらには、まちづくりを**単純な「まちづくり」の施策としてだけでなく、土地の価格を上昇させ、中長期的な資産価値の向上へ導くことができる**のです。

行政主導のまちづくりは、公的な観点からの意義が大きいです。ただ一方で、経済やビジネスという意味ではなかなかうまくいっておらず、時間やお金、あるいは人員をかけていても、思うようなまちの発展にはつながっていません。

他方で、ビジネスとして成立するのであれば、参入する人は増えてくるでしょう。農業も同じなのですが、経営として成り立つ見込みが立てば、そこから事業として行ってみたいと考える人が増えるのは自然なことです。

ただし、そのためには「価値（単価）×取引数」を軸とした経済効果の算出が欠かせません。別の言い方をすれば、**数字によって経済効果を計算することでまちづくりの成否を明らかにでき、撤退や継続の判断ができる**ことにもなるのです。

そこで、まちづくりでも「価値」の概念が不可欠であり、訪れる人に魅力を提示しなければなりません。

経営学には「顧客価値」という言葉があるように、まずは誰にとってのメリットがあるのかを考えます。繰り返しになりますが、不動産もまた価格と取引数があってこそ、その土地がどのような需要と供給にあるのかわかります。

「顧客」や「価値」ということでいえば、真っ先にイメージされるのは、経営学の大家であるP・F・ドラッカー氏でしょう。ドラッカー氏は、顧客と市場を知っているのは顧客本人であるので、顧客に聞き、顧客を見て、顧客の行動を理解することが大事だと述べています。

実は、あらゆるビジネスがそうであるように、まちづくりにも同じような発想が役立ちます。たとえばドラッカー氏は、経営者がどのような問いをすればいいのかを、以下の「5つの質問」にまとめています（※出典：『ドラッカー5つの質問』〈山下 淳一郎／あさ出版〉）。

■第1の質問　われわれの使命は何か
■第2の質問　われわれの顧客は誰か
■第3の質問　顧客にとっての価値は何か
■第4の質問　われわれの成果は何か
■第5の質問　われわれの計画は何か

このような問いに答え、「単価×取引数」という価値を高めていくことが、まちづくりにおけるひとつのゴール設定になります。

目指すべきは「まち上場」（時価総額を上げることで上場を狙う）

本書で提示するまちづくり成功の指標、そのひとつに「まち上場」があります。**まち上場とは、株式市場のように時価総額を上げることで価値を高めることを指します。それにより、人流の増加と経済的な成長を目指していく**のがポイントです。

企業の株式上場というのは、これまで流通が限定的だった自社の株を市場に公開することによって、広く投資家に購入してもらい、会社の価値（時価総額）を高めていく活動です。それによって会社は資金を調達し、事業をさらに成長させていきます。

こうした発想をまちづくりに当てはめると、「半径200メートルのまちづくり」を構想しながら、「プレイス」「エリア」「タウン」と発展させながら、少しずつ市場を拡大していくかたちです。

半径200メートルの小さなまちに賑わいや人流が生まれてくると、それに応じて経済活動が活性化し、周辺の地価も上がってきます。その結果、これまでは仲介する不動産業者すらなかった土地に値がつき、流動性が上がることもあります。

土地の価値について考えるとき、ここではシンプルに「土地代」を単価、「不動産の契約数」を取引数として計算するとわかりやすくなります。つまり「単価×取引数」と同じように、「土地代×不動産契約数」をその地域の価値として捉えます。

その土地を求める人が増えて**土地代が上がり、求められる数（需要）が増えることによって不動産契約数も増えれば、まさに上場と表現できます。**それをまちづくりの一環として目指すのが、まち上場による発想です。

まち上場を意識することは、その地域ならではの価値を見える化するのに最適です。不動産価値としての金銭的な評価に換算することになるのですが、そこに土地や建物を購入する意義が生まれ、ビジネスとして企業や個人も参入しやすくなります。

将来的に価値が上昇するということでいえば、**未公開株に投資する醍醐味に近い**かもしれません。未公開株は、成功するか失敗するかわからない反面、大きく化ける銘柄でもあります。そこには、一般的な株式投資（上場投資）とは異なる性質が含まれます。

詳しくは後述しますが、そのまちづくりが成功するかどうかは、おおむね一年間というスパンで見ていくことができます。つまり、**一年ほどの期間を経て継続か撤退かの判断もできるため、その点でもリスクを限定することが可能となります。**

その期間内で思うような成果が上げられないのであれば、撤退を判断します。また、ある程度の成果が出ているならあらためて検討し、予想を上回るようであればそのまま継続するか、あるいはさらなる拡大を目指していきます。未公開株から店頭公開、さらにはマザーズ、東証二部、そして東証一部へと移り変わるかのごとく…（2022年4月から、東京証券取引所は「プライム市場」「スタンダード市場」「グロース市場」の3市場に再編する予定ですが）。

外部環境の大きな変化がない限り、ブランディングに成功した地域というのは、急激な落ち込みに悩まされません。それこそ、軽井沢や那須などの避暑地はもちろん沖縄や北海道など、独自の価値を提供している地域は安定的に伸びていきます。

もちろん、小さくはじめて大きく育てるやり方では、SNSでバズるかどうかなどの影響はあるかもしれません。ただ、そうした影響も、アクティビティの拡充や「プレイス↓エリア↓タウン」という発展によって、経済活動やまちの価値を安定化できます。

将来的にその土地が自然に流通するようになり、価格や取引量が堅調に推移していくようになると、まち上場としては理想的ではないでしょうか。人気の観光地やスポットというのは、そのようにして成長していきます。

「観光以上、移住未満」という新しい市場に参入する

これからのまちづくりについて考えるとき、キーワードとなるのが「観光以上、移住未満」という発想。**これまでのように観光需要を喚起（かんき）するだけでなく、しかも移住ほど負担がないあり方を模索するのが、未来のまちづくりのあり方（かた）**です。

新型コロナウイルスによって、私たちの社会は大きな変更を余儀なくされました。少なくとも、それまでの前提条件が大きく崩れてしまったのは事実です。

コロナ禍以前の日本では、東京五輪の開催も予定されていたことから、観光立国として広く国内外の旅行者を受け入れてきました。各地域においても、観光資源の充実とさらなる拡充に力を入れていたことと思います。

しかし、コロナ禍によって外部環境が大きく変わってしまったために、その思惑は図らずも軌道修正を迫られていますが。

ＪＴＢ総合研究所によると、２０２１年3月における訪日外国人数の推計値は1万２２７６人となっています。これは、前年同月比のマイナス93・7％となり、２０２１年度1～3月期

に関しても、6万6153人と低水準であるのがわかります（※出典「JTB総合研究所」のサイト）。

さて、こうした状況をふまえて本書で提案したいのが、冒頭で述べた「観光以上、移住未満」という発想です。**ここ数年で企業のテレワークが進み、旅行や観光と仕事をセットにした「ワーケーション」などの言葉も出てきています。**

こうしたムーブメントを軸に、いわばマイクロツーリズムのような発想で、まちづくりに参画するのもいいのではないでしょうか。ただ観光するだけでなく、かつ移住でもないあり方が模索されています。

土地の公示価格が10年で3・5倍以上になったニセコの成功要因とは？

まちの価値を向上させる「まち上場」という視点と、「観光以上、移住未満」という新しいまちづくりの発想を実現するためには、日本市場の現状を知っておく必要があります。そこで、データをもとに日本の現状と地域の実情を概観してみましょう。

国土交通省のデータ（「令和2年度　住宅経済関連データ」）によると、新設住宅着工数の推移は、平成18年をピークに減少へと転じているものの、その後も微増減を繰り返しながら、一定の水準を保っているのがわかります。ただ、このようなデータはあくまでも日本全国の様相を示しているものであり、各地域の実態まで表しているわけではありません。

まちづくりという文脈においても、日本全体の状況をふまえて「これからは厳しい」「可能性に乏しい」と捉えられている向きもあります。しかし特定の地域に目を向けてみると、多大な可能性を秘めていることが往々にしてあります。

たとえば北海道のニセコは、日本全国の平均的な状況とは裏腹に、市場が活性化し続けています。コロナ禍以前まで、次のような景気のよい条件に恵まれていました。

1 地価上昇率日本一
2 スキー場のゲレンデは外国人ばかり
3 コンドミニアムのワンルームが6億円

そもそもニセコとは、倶知安町（くっちゃんちょう）、ニセコ町、蘭越町（らんこしちょう）という一帯のエリアの総称。特にニセコアンヌプリ山麓（さんろく）には、4つの大きなスキー場があるなど、主にウインタースポーツの需要がある地域です。

そんなニセコも、もともとは観光客よりキタキツネのほうが多いような田舎町でした。現在では想像できませんが、そんな地方のまちであったニセコが、今や世界が注目する超人気リゾートタウンへと変貌（へんぼう）しているのです。

冬のスキーシーズンは、1泊5万円以上の部屋が満室になるほどの人気です。コンドミニアムの「綾ニセコ」はワンルームで6億円という価格にもかかわらず、飛ぶように売れています。まさに、日本全国の様相とはかけ離れているのです。

ニセコの地価公示価格は、近年、人気の高まりを受けて高騰しており、その結果、土地取引件数も落ち着いているのがわかります。購入できる層が富裕層に限定されていて、安定した取引がなされているのです。

事実、倶知安町は、**2020年度の地価上昇率で全国ナンバーワン**のまちとなりました。2020年度の公示地価は7万250円／㎡（23万1825円／坪）。10年前である、2010年の時点では1万9800円／㎡（6万5340円／坪）であったため、**10年間で3・54倍になりました。**

図4　ニセコの「地価公示価格」と「取引物件数」の変化

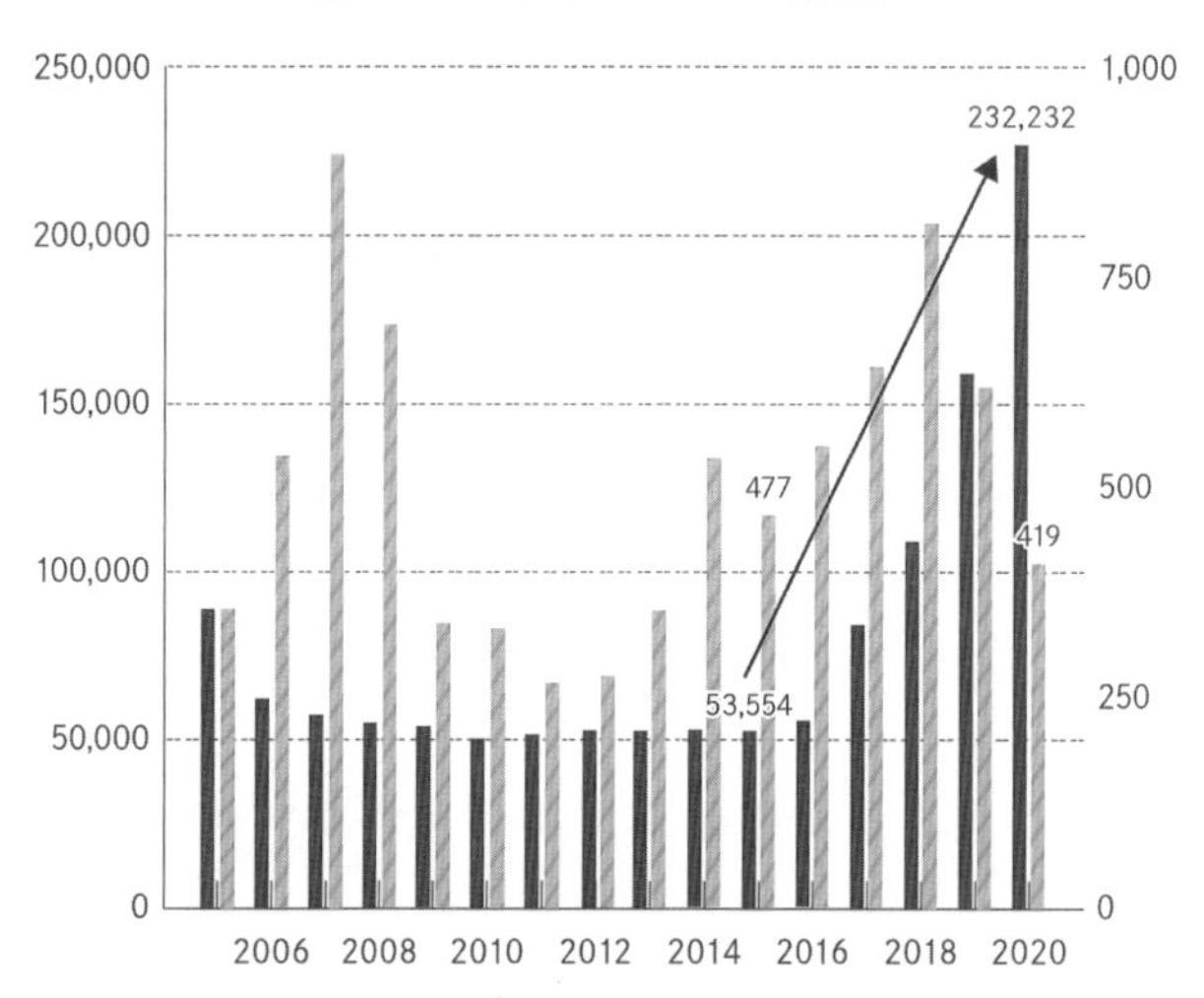

	地価公示価格	取引物件数
2005	88,156	353
2006	63,636	551
2007	57,934	918
2008	56,033	710
2009	54,546	344
2010	51,818	341
2011	52,727	277
2012	53,471	280
2013	53,058	363
2014	53,058	545
2015	53,554	477
2016	56,446	559
2017	84,298	659
2018	111,570	823
2019	162,810	639
2020	232,232	419

※出典：国土交通省「土地取引規制基礎調査概況調査結果」、
土地価格ドットコム「1997～2021年 虻田郡ニセコ町の地価推移」

しかもこの数字は、あくまでその地域の基準値です。場所によっては、坪単価1万円だった土地が、300万円／坪で取引されたような事例もあります。このようにニセコは、田舎が人気のまちへと進化する「まち上場」のわかりやすい事例です。

そんな**ニセコのまち上場の秘密は「パウダースノー」。**休暇でニセコを訪れたオーストラリアの富裕層が、このパウダースノーを気に入ったことがきっかけで、人気が高まりました。その後、スキー場や周辺のホテルなどで働くオーストラリア人が多数滞在することになり、噂（うわさ）を聞きつけたアジア人らもどんどん来るようになりました。

それから長期的滞在や住民登録する外国人が増え、倶知安町の**住民の15％以上が外国人**に。オーストラリア人、アジア人がこぞってニセコの不動産を競って買った結果、土地の価格は急上昇しました。

きっかけは「ただの雪」であるものの、それを自分たちの強みとして認識して活用できれば、まち上場につながる価値へと昇華できるのです。

まずは「年間1万人」の集客を目指す。実はそんなに難しくない

日本と各地域の現状をふまえたうえで、まちづくりにおける基本的なゴールを共有しておき

ましょう。結論から先に述べると、**どのような地域においても、最初のゴールを「年間1万人」に設定することからはじめてください。**

つまり、アクティビティの設置からはじまり、プレイス、エリア、タウンへとまちづくりを進化させていくに当たり、そのファーストステップとして、主に複合的なアクティビティの創設によって年間1万人の集客を目指すのです。

年間1万人と聞くと、どのような印象を抱かれるでしょうか?「1万人も集めるなんて大変だ」と思う方もいるかもしれませんが、実際に計算してみるとそこまでではなく、冷静になれますよ。1万人ということは、1ヶ月当たり約833人、1ヶ月を30日とすれば1日当たり30人未満となります。

人気のラーメン店であれば、こじんまりした店舗でも1日当たり100人超という来店数は珍しくなく、開業当初でも50人(杯)前後が商業ラインであることを考えれば、ハードルは決して高くないといえそうです。

少し古いデータになりますが、厚生労働省の「平成25年生活衛生関係営業経営実態調査」によると、喫茶店営業の1日平均客数は約155人。このうち、株式会社で約227人、有限会社で約99人、個人経営でも約35人という数字になっています。

以上から、**年間1万人という数字は、決して高いハードルではない**とわかります。**しかも、エリアとしての集客が1万人でいいと考えれば、よりクリアしやすいと想像できる**のではないでしょうか。

視点を変えて考えてみると、現在、1日当たり3人ぐらいの人が訪れているスポットであれば、それを**10倍、100倍に増やしていくことは珍しいことではありません。**事実、SNSでちょっとバズっただけのスポットでも、急激に数を伸ばしているケースがあります。

たとえば**長野県阿智村**（あちむら）は、もともと温泉以外に観光資源がないという悩みがありました。しかし現在では「スタービレッジ阿智村」として、日本有数の、素晴らしい星空ツアーを楽しめるスポットになっています。

写真3．長野県阿智村の星空

非常にうまいブランディングだと思いますが、2012年の開始初日は、**お客さんもわずか10人ほど**しかいなかったそうです。

その後、特に宣伝をしていなかったのにもかかわらず、その年だけで約6500人もの参加者を獲得。翌2012年には2万2000人、2013年には3万3000人へと拡大し、**5年目となる2016年には年間来場者が10万人を超えています。**

2016年からは冬期の集客拡大を目指して、12月から3月までの冬期間に「天空の楽園 Winter Night Tour」を開催。2018年5月末までで、**イベント累計45万人を記録**しています（※出典：「スタービレッジ阿智誘客促進協議会」のサイト）。

わずか人口6500人の小さな村に、これだけの人が訪れている。そう考えると、どこの地域にも年間1万人どころか、さらなる可能性があると思えてなりません。強みを見つけることができれば、まち上場は可能なのです。

蔵王（ざおう）に学ぶ。もて余した夜の時間までとことん活用！

まち上場という視点で成功してきた地域としては、特にスノーリゾートとして広く知られている**蔵王**もぜひ紹介したい場所です。

そもそも蔵王には、古くから信仰の対象となっていた蔵王連峰があり、東北地方の奥羽山脈に位置しています。蔵王連峰そのものは特定の山を指しているのではなく、宮城県白石市、七ヶ宿町、蔵王町、川崎町、山形県山形市、上山市など、広範囲にわたります。

その中にある蔵王温泉は、スキーやスノーボードをはじめ、秋は紅葉、夏はトレッキングや避暑を楽しめる場所として、多くの人に愛されています。

そんな蔵王には、冬の観光としてはスキーリゾートの他にも、人気のスポットがあります。それは「樹氷」。樹氷は特別な条件でしか形成されないのですが、蔵王には群生しており、日本有数の樹氷スポットになっています。

それだけ人気の観光地となったのには、現地の工夫がありました。たとえば、**樹氷を「スノーモンスター」と名づけ、樹氷ウォッチングを広く告知しているのです。**

具体的な施策としては、**夜の樹氷をライトアップした「ナイトクルージング」**が挙げられます。夜というのがひとつのポイントなのですが、昼間にゲレンデでスキーやスノーボードを楽しんだ人も、樹氷を見るためにこのツアーに参加しているようです。

展望台のうえにはレストランがあるので食事をしたり、あるいは駅の近くにある蔵王温泉につかったりすることもできます。このようにして、レストランやロープウェイ、入浴にかかる費用など、**自然と地元にお金が落ちていく**のです。

ビジネスの施策としても非常に優れたやり方だと思いますが、それだけでなく、蔵王の魅力をさらに堪能してもらえるような工夫がなされている点も見逃せません。ウインタースポットからさらに発展し、価値を高めているのです。

これまでスキーやスノーボードを終えて**もて余しがちだった夜の時間にも、ここでしかない体験を提供している点において、観光客と地元の双方にとってよい結果を生んでいる。**こうした動きは、まさにビジネスにおける「ウィンウィン」といえます。

また、蔵王の取り組みについては、2007年に行われた「蔵王温泉活性化フォーラム」の中で、イマジニア株式会社代表取締役会長の神藏孝之さんが、次のように語っています。

「集客には

1.（呼びたい客の）ターゲッティング

2.（成功の青写真を描く）構想力

3.（人が人を呼ぶ）ネットワーク

の3つが必要」

この言葉にも表れているように、まち上場を実現するには「ターゲッティング」「構想力」「ネットワーク」など、ビジネスにも不可欠な戦略性が役立ちます。裏を返すと、ビジネスの発想を応用することで、成功の確度を高められるということです。

一方で、ビジネスにもまちづくりにも「仮説」とその「検証」を繰り返していくという視点が不可欠です。企業経営においてPDCAサイクルを回すのは当然ですが、まちづくりにおいても、施設や顧客体験の先にある動線や継続性も考慮しなければなりません。

地方に点在する数々の成功事例からは、そうした弛(たゆ)まぬ努力を感じられることと思います。事実、蔵王をはじめとする山形県の歴史には試行錯誤の数々が詰まっており、それに応じて観光客も増えています。

近い将来にIPOを果たしそうな場所を狙え

本章でご紹介した「まち上場」という言葉から、ベンチャー企業などが行う「IPO（証券取引所に上場して、誰でも株取引をしてもらえるようにすること）」をイメージした方も多いのではないでしょうか。確かに**まち上場の発想は、IPOと似ているところ**があるかもしれません。これは、経営者としてもそうですし、投資する側としてもそうです。

起業家・経営者にとってＩＰＯは、株式公開による幅広い投資家の獲得や時価総額の拡大、さらには知名度や信頼性の獲得など、さまざまな点で意義があります。そこで得られた資金を、人材や設備などの投資に回し、さらなる成長を実現していきます。

他方で投資家からすると、未公開株が上場することによって株価が大きく跳ね上がるなど、出資者としてのイグジット（株式売却で利益を得ること）、さらには長期投資の意義へとつながります。それは、ベンチャーキャピタル（未上場企業の株式を取得し、上場した際に株式を売却して大幅な利益を狙う投資会社）が行っている手法を見ても明らかでしょう。

さて、本書で提唱しているまち上場は、厳密にはＩＰＯのような市場への公開ではないのですが、**ヒトやモノや情報の交流を生むことで、これまで仲介する不動産会社すらなかった土地に値段がつき、流動性が上がる可能性があります。**

その意味においては、価値の大幅な向上が見込めるため、ＩＰＯのような将来の発展も目指せるというわけです。そんなＩＰＯや投資という観点から、まちづくり、さらには不動産投資という観点で地域の特徴を見ていきましょう。

Ｐ91の図5は、**縦軸に取引数をとり、横軸に地価をとったグラフ**です。軽井沢やニセコなど

図5 「取引数（流動性）」と「地価」の関係から見た「各々の地域の立ち位置」

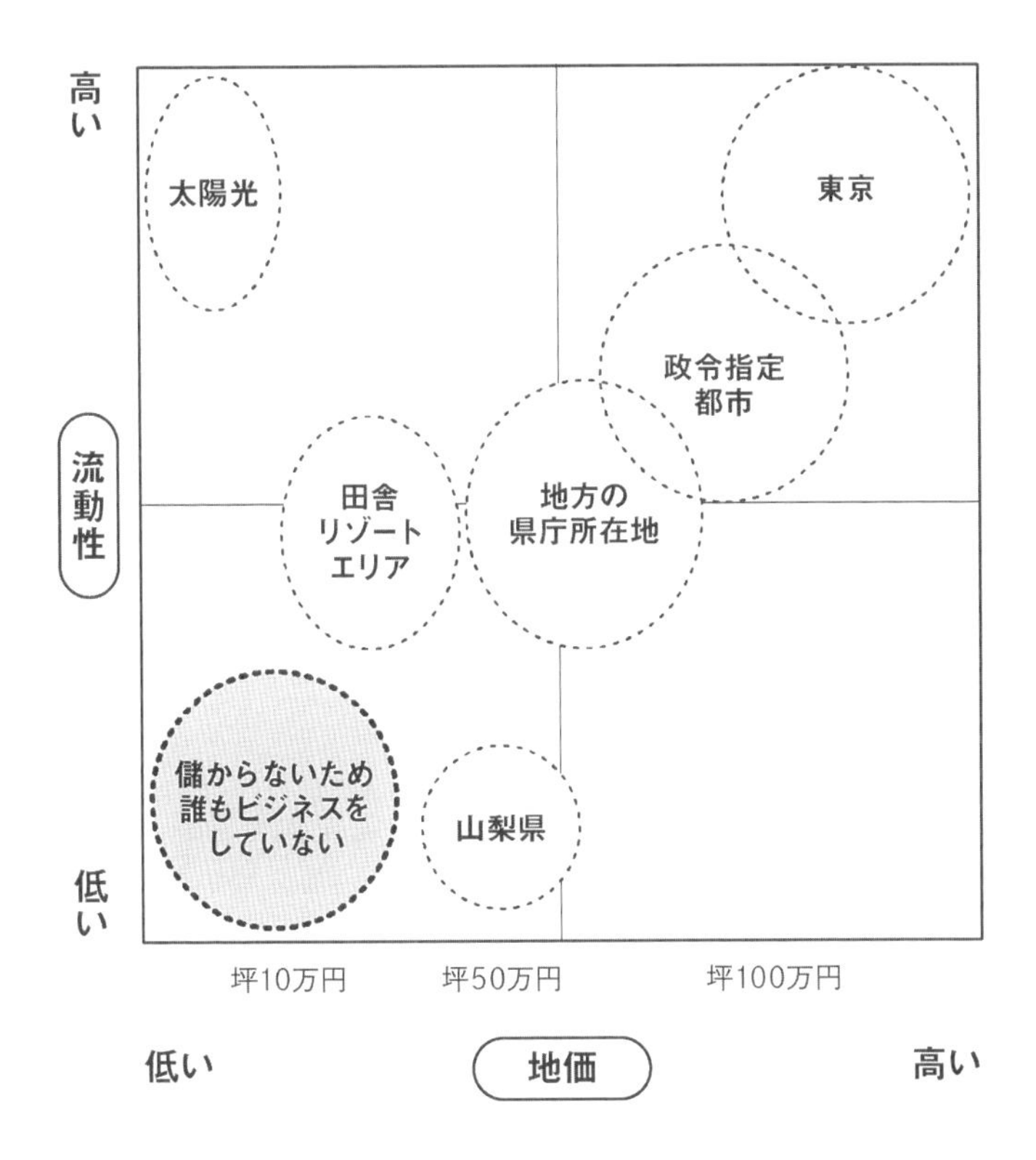

の人気観光地を中心に、4象限に分かれるかたちで各地域が分類されているのがわかります。これが、投資家の視点です。

たとえば、**左上に位置するのが「太陽光発電」への投資がされた場所**です。山林や崖地など、住宅やビルが建てにくいところに多い太陽光発電の施設ですが、これらへの投資は取引数が多い反面、地価は現在もそれほど高くありません。とはいえ設置されてからは、地価は何十倍にも跳ね上がっているケースが多々あります。もともとは用途がなかったことから、設置前は無料同然の土地もあったくらいです。

2011年の民主党政権時に「FIT」という法案が出され、グリーン都市減税と固定電力で買取りを行う制度（固定価格買取制度）ができました。それに加えて、減価償却を一括で行える制度も設けられ、田舎の山や土地で太陽光発電が果敢に行われたのです。

その結果、土地によっては20倍ほどの価格高騰があり、ひとつの投資市場へと成長しています。このような土地の価格高騰は稀有ですが、不動産投資家は、そのようなチャンスも確実に狙っています。

下部中央も少し特殊で、山梨にある武田信玄ゆかりの地などがこちら。「先祖代々の土地を守る」という風習が根強いことから**地主がなかなか手放さない土地**です。ですから**取引数は少**

ないのですが、それがゆえに地価はそれなりの値段となっています。

右上に位置するのが東京都や大阪府などの一等地。こちらは、富裕層や投資家から引き合いがあります。ただし地価が高すぎるため、一般市場ではなかなか流通しません。

さて、**本書で狙い目にしているのは左下のエリアにある土地**です。まだ取引量が少なく**地価も安いのですが、これから成長していく可能性があります。**もちろん、そのためにはまちづくりが不可欠で、まちづくりによって斜め右上への移行を目指します。

その過程で、ＩＰＯのような「価値の上場」が実現できれば、投資としての旨味も得られるというわけです。イメージとしては、ニセコや軽井沢が東証二部やマザーズ、その先にある東京都や大阪府の一等地が東証一部という感じでしょうか。

いずれにしても、可能性のある左下のエリアの土地は、**日本全国にたくさんあります。**それだけチャンスが眠っているといえるでしょう。次章からは、そんなまち上場を実現するためのステップについて、詳しく解説していきます。

第4章

【ステップ1】ソリューションの検討

プチ起業という発想をすれば、
スタートを切りやすくなる

ターゲットへ向けた提案「ソリューション」を、かなり具体的に決める

第1章から第3章までは、本書で提案するまちづくりの全体像をお伝えしつつ、基本となる考え方やテクニックについて解説してきました。そのうえで第4章からはいよいよ、まちづくりの実践方法を4つのステップに分け、順番に解説していきます。

【ステップ1】（第4章）では「ソリューション」という観点から土台となる発想を、【ステップ2】（第5章）では「人を巻き込む」ことについて、【ステップ3】（第6章）では「場をつくり、運営する」ことを、【ステップ4】（第7章）では「ルールをつくる」ことについてです。

まずは本章を通じて、【ステップ1】のソリューションについて考えていきましょう。**まちづくりにおけるソリューションとは、その地域ならではの強みを活かした価値提供を、ターゲットに応じたニーズ・欲求に合わせて行うこと**です。すでにその地域に存在している強みや価値との兼ね合いも含めて、その場所ならではの人を集められる要素をピックアップしておきましょう。

ターゲットの設定には「5W1H」を使います。5W1Hとは、ビジネスシーンでもよく使

われるものですが、「いつ（When）」「どこで（Where）」「誰が（Who）」「何を（What）」「なぜ（Why）」「どのように（How）」というように、必要な要素をそれぞれ検討していく方法です。

たとえば、「海が見える広場にベンチを置く」というシーンで考えてみましょう。ベンチの活用方法はさまざまですが、あえてターゲットやアクティビティを〝限定〟していくと、次のように考えることができます。

いつ：夕日が見える時間帯
どこで：海が一望できる広場の中心
誰が：若いカップル（インスタ映えを狙うため）
何を：夕日に映える海を眺める
なぜ：ロマンチックな非日常体験を提供するために
どのように：おしゃれなベンチを設置する

このように**5W1Hで考えていけば、自ずとターゲットが具体化されていきます。**不特定多数をターゲットにするのではなく、**あえて絞り込んでいくことによりかなり具体性を帯びるの**

で、次の打つ手（ソリューション）も具体的に見やすくなります（軽食やお酒の提供、音楽の演奏など）。

5W1Hを活用すると、もともとその場所に合ったニーズや欲求、つまり課題がより明確化されます。課題は価値を提供するために設定されるものですが、まさに前項でお伝えした「原価思考から価値思考へ」を実行している状態となっています。

【ステップ0】最初に「自分はどうしたいのか？」を考えよう

ニーズや欲求を土台にした課題の抽出と、そこから見出されるソリューション、さらにはターゲットの具体的な設定は、アクティビティファーストを進めていくに当たり大いに役立ちます。そうした作業から、小さな一歩を踏み出しましょう。

ただ、**【ステップ1】を進めていく前のいわば【ステップ0】というものが存在します。【ステップ0】とは「自分はどうしたいのか？」で、これを考えてみることも大切**です。自分がどのエリアでどんなまちづくりをしたいのかを掘り下げるべく、これから実践するまちづくりのコンセプトを検討してみるのです。

ソリューションの検討は、コンサルティングの発想と同じです。クライアント（お客様）の現状や置かれている状況を把握し、課題を抽出、そのうえで具体的な解決策としての打ち手を見極めていくこと。その先に、実際の改善につながる提案があります。

「フロントヘビー」という言葉があるように、コンサルタントは初期段階を非常に重視します。最初にきちんと設計しておけば、あとはスムーズに進んでいきやすいという考え方です。そのためコンサルティングでは、最初の段階に時間をかけます。

まちづくりにおいても、最終的にまち上場を目指すのであれば、そこに至るまでのプロセスをデザインしておくことは役立ちます。**ある程度の全体設計をしたうえで、地域のポテンシャル、アクティビティ、関係者などをつなげていく**という発想です。

他方で、「自分はどうしたいのか？」という視点をもつことは、ソリューションやターゲットの設定とは異なる方向性があります。これをあえて【ステップ0】として考えておくべき理由は、まちづくりの主役が他でもないあなた自身だからです。

コンサルタントとして提案するだけなら、ソリューションやターゲットの設定、実行のプログラムをつくるだけで、一定のアドバイスができるかもしれません。しかし、**自分で積極的にまちづくりをしていくのなら、主体性と情熱を含むテーマが欠かせません。これを【ステップ**

0】として行うのです。

【ステップ0】は、コンセプトづくりといってもいいかもしれません。いずれにしても、自分が主導的に行動し、後に関係者を巻き込んでいく必要がある以上、メッセージ性と共感性をともに含んだテーマないしコンセプトを考え、言葉にしておくべきです。

本書で提案しているまちづくりは、必ずしも大規模なものではありません。むしろ、小さなところからはじめていくこと、自分事としてできることからスタートするのを基本としています。その点、「何をしたいのか」「なぜしたいのか」という問いは重要なのです。

コンセプト設定とその一貫性ということでいえば、**静岡県沼津市の元市長・大沼明穂さんが行ったまちづくりは、非常によい事例**だと思います。

もともとIT企業の経営者であった大沼元市長は、2016年に「沼津を変える」をスローガンとして掲げ、市長選に初出馬。現職に2万票近い大差をつけて初当選を果たしています。選挙戦では「IT企業を誘致して若者が働く場をつくる」を公約としていました。

そんな大沼元市長が行ったのが、静岡県沼津市を舞台とする**スクールアイドルアニメ『ラブライブ!サンシャイン!!』によるまちおこし**です。彼は沼津をラブライブのまちとして大々的にPRし、ラッピングバスの活用や作品に登場する声優のグループをPR大使に任命するなど、数々のタイアップ企画を展開しました。コアなファンの中には「何度も通うより住んだほうが安い」と、移住した人もいたほど。

公約にもあるように、もともと大沼元市長は若者に寄り添う姿勢をもっていました。つまり、沼津というまちを活性化させるために若者を呼び込むという、**明確な「何をしたいのか」「なぜしたいのか」があったため、強力なコンセプトを打ち出せた**のです。

残念ながら大沼元市長は2018年3月に小脳出血で亡くなられたのですが、直前まで公務の準備をしていたなど、沼津に対する想いはとても強かったようです。そしてその「自分はどうしたいのか」という気持ちが、まちづくりを成功に導いていています。

ライフスタイルからまちづくりをイメージする

小さくはじめるまちづくりでは、当事者の「想い」が重要な役割を果たします。公的な活動ではなく民間からの働きかけであるからこそ、自分たちがまず情熱をもち、主体的に動いていくことで周囲を巻き込んでいきます。

そこで**重要なのが、ライフスタイルからまちづくりをイメージすること。自分がどんなまちづくりをしたいのかが想像しやすくなるから**です。それが、**周囲を動かす原動力にもつながり**

ます。特にまちづくりには、人がその場所でどう過ごすのかという視点が欠かせません。

たとえば、次のような問いに答えてみてください。

- 自分が描きたい暮らしのシーンとは何か?
- 暮らしのストーリーを思い描くことはできるか?
- その「空間」は複数箇所にまたがっているか?

自分が理想とするライフスタイルから逆算して最適な場所を探し、実現のためのアクティビティを検討します。「朝起きて、どう過ごし、どんな気分になるのか」というイメージをしっかりともつことが大事です。

たとえばバイクが好きな人であれば、気持ちよく走れる道路や点在するツーリングスポットを結びつけ、「バイクのある豊かな暮らし」を実現するためのアクティビティを考案してみるのもいいでしょう。そのような趣味はひとつのヒントになります。

サーフィンが好きな人であれば海辺のサーフィンが楽しめるスポット、音楽が好きな人であれば音楽好きの人が集まって交流できるエリアなど、それぞれの特徴を活かしてライフスタイルを組み立てていきます。

このように、自分が求めるライフスタイルとまちづくりを連動させていくと、主体性のある情熱的な活動に結びつきやすくなります。そしてそれが後に、周囲を巻き込んでいくメッセージや共感のもとになるわけです。

私の場合は、千葉県の海辺の出身なので、やはり海が見える場所が好きです。そうした原体験からまちづくりを考えるために、原チャリで日本全国の海辺を走りながら、理想的な景色を探したこともありました。

いろいろな海を見ていると、似ているようで、実はまったく異なる景色が広がっていることもあります。そのような感覚を大切にし、同じような想いを抱いている人がいれば、そこが特殊なスポットになる可能性もあります。そうした

写真4．著者が育った地にある海岸の九十九里浜

場所で暮らしのシーンを想像してみるのです。

あとは、そこでアクティビティが実現するかどうかを検討してみること。景色を眺めるところからスタートし、飲食や遊び、宿泊など、複数のアクティビティがつながる余地があれば、そこに暮らしが生まれていきます。

たとえば海の場合であれば、ボート、ヨットやカヌー、バーベキュー、キャンプやグランピング、花火、宿泊など複数のアクティビティをつなげていけば、魅力的な場所をつくれるかもしれません。

犬と暮らすというライフスタイルで成功した「ドギーズアイランド」

ライフスタイルからまちづくりにおけるソリューション、およびコンセプトを考えるとき、非常に参考になる事例があります。それは、**「犬と暮らす」をテーマにしてつくられた、千葉県八街(やちまた)市にある「小谷流の里ドギーズアイランド（以下、ドギーズアイランド）」**です。

ホームページにも記載されているように「東京から最速55分、ここは愛犬と楽しむサンクチュアリ・リゾート」と定義されています。1日中、愛犬とともに過ごせることから、犬好きにはたまらないスポットです。

そんなドギーズアイランドも、もともとはただの田んぼに囲まれた土地でした。そこを、リゾートホテルおよび諸施設の開発を手掛けるユニマットプレシャスが、再生するかたちで斬新なコンセプトを打ち出して完成させました。

キッズからシニアまであらゆる年代の人たちが、四季の移ろいの中で大自然の恵みを享受できる「里山プロジェクト」として、今後、バラ園やハーブ園、農業体験ゾーン、さらに乗馬コースや温浴施設といった多彩な施設、リタイアメント・コミュニティ施設（大規模な老人ホームのような施設）の建設が計画されているとも、同社のサイトには書かれています。

ドギーズアイランドが人気を博している理由はたくさんあるのですが、まず注目すべきなのは**都心から1時間弱でアクセスできる**こと。これなら、千葉県内に住む人はもちろん、東京都やその周辺に住む人でも気軽に訪れることができます。

もともと高速道路のインターチェンジに近いというポテンシャルを活かした点で非常に戦略的であり、かつ豊かな里山の自然を楽しめるという点で、都会の人にもウケます。

まちづくりという視点では、ドギーズアイランドを中心として、小谷流（こやる）の里エリアが**半径2**

○○メートルのエリアに収まっているのが特筆すべきです。まさに、私が推奨する「半径200メートルのまちづくり」と同じ発想でつくられています。

目玉である犬と楽しめる**アクティビティは、トータル20ヶ所以上で可能。**たとえば、次のような場所が挙げられます。

- 愛犬と一緒に泊まれるホテル
- 天然水を利用したドッグプール、じゃぶじゃぶ池
- 天然芝の全天候型ドッグラン
- 美しい花々や木々が鑑賞できる森林
- 自然派フードから雑貨まで愛犬に関するアイテムがそろうセレクトショップ
- 愛犬とくつろげるレストランやカフェ（5店舗）

宿泊費は日付やプランによって異なるものの、大人1名当たり2万円前後（犬は同伴1匹まで無料）からと、**決して安くはありません。それでも週末は賑わいを見せており、**犬好きの人から親しまれています。

ドギーズアイランドの事例には、「半径200メートルの小さな範囲からはじめる」「食べる、遊ぶなどのアクティビティをつくり、各々をつなげる」「田舎ならではの土地の安さ、広さを活かす」「その土地にもとからあるものを活用する」「わかりやすくとがったコンセプトを打ち出す」など、まちづくりの基本が踏襲されています。

また、**複数のアクティビティ用施設を上手につなげている**ことも、ドギーズアイランドが多くのファンを獲得している理由となっています。「犬と暮らす」というコンセプトを忠実に再現するべく、ホテルやドッグラン、ドッグプールをつなげているだけでなく、森林（自然）、セレクトショップ、レストランやカフェなど、飼い主が一緒になってアクティビティが楽しめる施設を複数つくっており、お互いがつながっています。その結果、他にはない独自の価値を生み出すことに成功しているのです。

真っ先に考えるべきアクティビティの「センターピン」とは？

ソリューションを提供し、コンセプトに沿ってまちづくりを進めていくためには、まずアクティビティを選定しなければなりません。本書で提案するまちづくりの基本は「アクティビティファースト」です。

では、最初に選定するアクティビティはどのようなものを選べばいいのでしょうか。重要なのは、人が集まるという視点で考えてみること。言い換えれば、**集客を成功させるための「センターピン」を見つけることからはじめてみる**ということです。

この場合のセンターピンとは、特に集客効果が高いアクティビティを指します。センターピンとはもともとの意味は、ボーリングで競技者に向かって先頭に立っているピン。そのピンを狙って倒すことで他の9本も同時に倒すことができます。こうした発想をビジネスにも応用すると、「どんな打ち手が最も効果的か？」という発想につながります。

前章でもお伝えしているように年間1万人の集客を目指したいので、**センターピンを軸に複数のアクティビティをつなげることも見越してください。**実現したいライフスタイルや地域の強みを考慮に入れていけば、理想的なアクティビティが集約されていきます。

センターピンの例としては、次のようなものが挙げられます。

- 食事（カフェ、ベーカリー、キッチンカー、屋台などで）
- 観光（歴史的建造物、パワースポットなどで）
- レジャー（キャンプ、バーベキュー、アスレチックなど）

イベント（音楽フェス、催し物など）
アウトドア（山、川、森、星空などで）

これらの中でローリスクで展開できるのが、カフェやパン屋さんです。**空きスペースを上手に活用すれば、短期間・低予算で収益化できます。新たに店舗を用意するのではなく、**既存の建物やキッチンカーを利用する方法も使えます。最近では古民家や空き家を活用した飲食店やカフェなどが増えてきており、場所としての価値と飲食を同時に提供することが可能です。

仮設のカフェであれば、40〜50万円からでも設置できます。あくまでも仮設の店舗なので、長期間の利用はできませんが、**テストマーケティング**にはちょうどいいです。ちなみに仮設の施設として最近は非常に種類が増えており、サウナができるテントもあるくらいです。

なお、コンテナを設置するのも手軽にできそうですが、おおよそ200〜300万円の予算がかかってしまいます。

「キャンプができる場所＋仮設のサウナ＋バーベキュー」という場所も、仮設の施設をベースに組み合わせるだけで手軽に構築できます。「ソロキャンプ」などが普及している現状を考えると、人気が出そうですよね。中古で集めれば、予算もさらに抑えられます。

無料のSNS、ターゲット設定に優れたウェブ広告を駆使しよう

センターピンとなるアクティビティを軸にまちづくりを進めていくとき、**考えておくべきなのが認知度を高めるための工夫**です。どれほど素晴らしいアクティビティがあっても、それを知ってもらえなければ人は集まりません。

特に現代であれば、インスタグラムなどのSNSを活用するのは基本です。**大々的な広告戦略を行うのではなく、無料でできるSNSから口コミを広げていけば、リスクを下げつつ継続性のあるまちづくりが行なえます。**

では、どのような点に注意してSNSを活用すればいいのか。事例を通して見ていきましょう。

たとえば、インスタグラムの活用で重要なのは、**「非日常を体験できるような工夫」**です。特に旅行需要を喚起したいのであれば、ターゲット層が普段は体験できないような、非日常をイメージできる写真を配信することが大事です。

都会の若者をターゲットにする場合、おしゃれなカフェのように調度品や家具を並べて、デザイン性の高い場所をつくるだけでは不十分です。なぜならそれは、都会にもすでにたくさん

存在しているものだからです。

そうではなく、おしゃれではあるものの、あえて庭をつけていたり空きスペースを広く設けていたりなど、都心ではあまり見られないようなデザインを構築してみる。すると、都会の特に若者にとっては珍しくなるため、目に留めてもらうことが可能となります。

こうした工夫はごく簡単なものですが、写真を共有したときにどう反応が変わるのかを考えて、よりターゲットに非日常性を呼び起こさせるものを発信すれば、高い集客効果が期待できます。もちろん、試行錯誤は必須です。

そのときに**考えたいのは、「ターゲットがもっていないもの」と「ターゲットが求めているもの」という組み合わせ**です。都会の人をターゲットにするのであれば、「自然」「動物」「庭」「ご当地グルメ」など、いろいろなものが思い浮かぶはずです。

そのような珍しさは、トレンドやそのときの流行に左右されることなく、常に求められているものを選ぶべきです。そのうえで**独自性とオンリーワンを重視し、そこにしかないものを中心に情報を発信すれば、バズるネタにも出会える**ことでしょう。

ただし、どこかでバズったものを、そのまま真似するのは避けてください。ただ真似をするだけでは、独自性もオンリーワンもありません。ゆるキャラの活用などはまさにその一例です。

真似ではなく、独自性やオンリーワンを重視してください（ゆるキャラについては、第5章でくわしくお伝えします）。

もちろん、デザインセンスに関しては、ないよりもあったほうがいいです。特に写真は、コンセプトやテーマだけでなく、撮り方（角度や採光、時間帯など）によって大きく印象が変わります。できれば、プロのカメラマンやデザイナーに協力してもらうといいでしょう。

また、インスタグラムなどと併せて**ウェブ広告も活用する場合、ターゲットを細かく設定することが可能**です。フェイスブック広告では、年齢や性別はもちろん、特定の大学や職業の人にのみ配信することもできます。

富裕層向けの物件であれば富裕層に、若者向けであれば特定の大学生や若手社会人に向けて発信するだけでも、反応は大きく変わるでしょう。テストマーケティングを繰り返しながら、刺さる広告とそうでないものを見極めていくのも、重要な作業となります。

コロナ禍でも可能性はまだまだ高い「民泊」の攻略法

新型コロナウイルスの蔓延（まんえん）によってインバウンド需要は下火になりましたが、国内外で旅行需要は根強く残っており、今後の状況次第ではいっそう拡大する可能性もあります。そのため、民泊を視野に入れたアクティビティの検討は重要です。

ただ現状において、民泊のビジネスモデルが確立されているかどうかというと、未知数な部分が多いです。少なくとも、方法論としてまとめられたものは限られています。だからこそ、まちづくりや集客という文脈から、きちんと検討しておくことが大切です。


アクティビティはつなげることによって効果を発揮します。センターピンとなるアクティビティに加えて、他のアクティビティをつなげることで、まち全体としての経済活動が活発化するのです。

そして、それぞれのアクティビティで飲食、観光、レジャー（体験）、宿泊、再訪問（リピート）、さらには移住まで選択肢が広がるようになれば、その地域の価値は大きく高まります。

その中に**ほとんどの場合は宿泊が含まれており、重要な位置を占めている**のです。


私が推奨している民泊の基本は、「一人1泊3万円」という価格設定にあります。1ヶ月で30人泊まれば90万円、年間で1000万円以上の売上が見込めます。ある程度の部屋数や広さがあった場合、20人や30人の団体客を獲得できれば、1ヶ月の目標はすぐにクリア可能です。

それだけの収益を上げることができれば、**不動産投資としても十分に価値が出ます。**その物件を、不動産投資家が買ってくれる可能性が生まれるのです。

不動産投資家の多くは地域にもよりますが、利回り10％であればかなり魅力を感じてくれます。利回りは都心の手堅い一般向け不動産で3～4％、リスクが高いものでも6～7％あればいいほうなので、地方で10％確保できれば、投資家としてはリターンは十分にあると考えるのです。

10％の利回りということは、年間1000万円の収益が得られる物件を1億円で買えばいいことになります。毎年10％回収できれば、10年で元がとれます。一般的な不動産投資ではあまり見られない事例ですが、民泊でなら可能性はあります。

ただしこの方法は、本書が推奨するまちづくりが実現できた場合に限って果たせることです。何らアクティビティがなかったらダメですし、あったとしてもそれぞれが有機的につながっていなければ、1泊3万円の宿泊費を払ってもらえません。

一方で他に競合物件がなく、複数のアクティビティが魅力的につながっていれば、一人1泊3万円は夢ではありません。

第5章

【ステップ2】
人を巻き込む

SNSでファンを増やす。
ファンをリピーターと仲間に変えていく

少数のコアメンバーと、多数のサポートメンバーが望ましい

第5章では、まちづくりの実践における【ステップ2】として、「人を巻き込む」ことについて解説していきましょう。まちづくりは、必ずしも一人ではじめて一人で完結できるものではありません。規模の拡大に伴い、必ず仲間が必要になります。

その場合の**仲間とは、まずはアクティビティを運営していくメンバーが挙げられます。**自分が発想したコンセプトやアイデアに共感し、一緒に活動してくれる仲間がいれば、まちづくりはより前に進みやすくなるでしょう。

ひとつ目のアクティビティを運営するだけなら、一人でもできるかもしれません。それこそ「空きスペースにベンチを設置する」のであれば、許可申請やベンチ本体の用意と設置、あるいは維持管理など、一人でも可能でしょう。

ただ、ベンチの使用状況をチェックして工夫や改善を行ったり、そこにつながるアクティビティを用意したりとなると、やることが増えていきます。最終的に10個のアクティビティをつなげるとしたら、それまでの準備にも時間と労力が必要です。

少なくとも初期の段階では、**3つのアクティビティまで考えておくのがオススメ**です。たと

えば景観のいい場所と、ベンチ、軽食販売用のワゴンなど、つながりのある3つのアクティビティがあれば、そこに人が集まる余地が生まれます。

3つの運営は一人でもできるかもしれませんが、それぞれノウハウが必要であり、かつ継続しつつ改善をしていくとなると、やはり協力者が必要です。そこで、まずは3つのアクティビティを軸に、仲間を集めていきましょう。

メンバー獲得のステップとしては、**「初期のアクティビティをともに運営していくメンバー（コアメンバー）」と「設置後、アクティビティを広げていくメンバー（サポートメンバー）」に、大きく分類できます。**

コンセプトやテーマに沿ってまちづくりを推進していくのがコアメンバーで、そのコンセプトを支援するのがサポートメンバーというイメージです。初期の段階ではコアメンバーが必要となりますが、人数については何をするのかによってマチマチです。

「仲間は多ければ多いほうがいいのでは？」と思う方もいるかもしれませんが、特にコアメンバーの人数に関しては、膨らみすぎると意思決定が難しくなります。**リーダーを中心に数名のコアメンバーで、ブレずに決断できる状況が望ましい**です。

一方で、**サポートメンバーに関しては、多ければ多いほどできることが広がります。**あくまでもサポートであるため、コアメンバーが定めた方針に従うかたちでまちづくりを支援し、方向性に齟齬（そご）がないように推進するのがポイントです。

いずれにしても、コアメンバーとサポートメンバーを分けて考えることは、意思決定の迅速化と、まちづくりにおけるコンセプトの一貫性維持において重要です。コンサルティングの現場でもコアメンバーを中心に物事を決め、全体で設置・管理・運営していくのが基本となっています。

前章でご紹介した沼津市のまちづくりでは、大沼元市長がトータルプロデューサーというかたちで、「ラブライブによるまちおこし」を推進していました。元市長に求心力があり、彼を中心としたコアメンバーの活動が、一貫性のあるまちづくりにつながっています。

特に弱者の戦略を実行するシーンでは、力強いコンセプトや方針のもと、コアメンバーを軸に物事を決定し、サポートメンバーとともに推進していくのが基本となります。

まちを実際につくるのは、行政ではなく工務店

行政とともにまちづくりをしているケースは多く、その過程で「ハコモノ」が中心になって

しまうケースが多々あることはすでに述べたとおりです。そこで本書では、**まちづくりの関係者として「まちの工務店」を推奨しています。**

まちづくりに際して、地元の役所にある「観光課」などを頼ろうとする人は少なくありません。しかし、**行政を巻き込んでいくとなると、意思決定に時間がかかることに加えて、一定の実績がなければなかなか前のめりには動いてくれない**点を加味しておく必要があります。

また、まちづくりの問題としてよく取り上げられる**「補助金」の問題もあります。**補助金に頼ることの弊害はまちづくりの本でもよく書かれているのですが、事業性としての意識を失わせてしまいます。その結果、継続性が乏しくなってしまうのです。

たとえば「まちビジネス事業家」の木下斉さんは、著書『地方創生大全』（東洋経済新報社）において、補助金を「衰退の無限ループを生む諸悪の根源」と表現しています。辛辣な指摘ではあるものの、そこには一定の真実も含まれているように思われます。具体的に、次のような記述があります。

「まちづくりに必要なのは「おカネそのもの」ではなく、「おカネを継続的に生み出すエンジン」です。まちづくり策が展開される以前から、地方には莫大な予算が、さまざまな名目で配分されてきました。しかしながら、成果がまったく出ない。なぜ何兆円もの資金が地方の活性化目的に配分されても、活性化しないのか。その理由は、結構シンプルです。つまり税金を使う＝「利益を出せない」事業ばかりだからです」

（※出典：『地方創生大全』）

木下さんはまちづくりにおいても、事業性のある活動を重視しています。それはご自身の体験がベースになっているのですが、効果のあるまちづくりを継続的に行う場合、経済活動がサイクルとして回っていくことが重要であるからです。

本書においても、まちづくりと経営・ビジネスのつながりについて各所で解説しているように、いずれの活動にも一定のつながりがあると思われます。それは継続性であったり、収益性であったり、仲間の獲得や顧客の創造など、さまざまです。

そのような観点から、頼るべきなのは行政の観光課ではなく、まちの工務店を推奨します。まちの工務店は、用意した企画やそのコンセプトに共感さえしてもらえば、スピード感のある動きをしてくれます。非常に心強い存在です。

これまで、まちづくりや不動産にかかわってきた人でなければ、まちの工務店はあまり馴染みがない存在かもしれません。ただ、**各地域の工務店が家づくりを通してまちづくりをしてきたことは事実であり、ともにそのまちを盛り上げたいという気持ちでも共通しています。**

行政が予算どりを前提にして企画書を求めてくるのに対し、工務店であれば「いいよ、いつやるの？」という具合に、積極的かつ事業性のあるパートナー関係を結べることも多いです。

だからこそ、まちづくりを行う地域を特定したら、積極的に会いに行きましょう。

その際には、「何をしたいのか」「なぜしたいのか」を軸に、事業として成り立つのかまで検討し、企画を練り上げておくとスムーズです。**工務店の理解が得やすいような、「地元への貢献」「地域に対するスポンサーとしての活動」なども加味しておくと、より望ましい**でしょう。

地元の工務店や不動産業者を仲間にできると、行政はもちろん、地元の有力者とつながれるケースもあります。青写真が描けたらコアメンバーとともに、工務店にぜひ当たってみましょう。

マルシェは、お客と運営者を同時に集めやすいアクティビティ

人を巻き込みながらまちづくりをスムーズに進めていくために、数あるアクティビティの中でもオススメなのが「マルシェ」の活用です。センターピンとなるアクティビティ用施設に加えてマルシェを用意すれば、それだけで多くの人から参加・賛同を得やすくなります。

そもそもマルシェとは、フランス語で「市場（いちば）」を意味する言葉。英語では「マーケット」と

ほぼ同義ですが、日本語の場合は「市（いち）（市場（いちば））」という言葉で馴染みがあるのではないでしょうか。さて、そんなマルシェに、あなたはどんなイメージをおもちでしょうか。

おそらく多くの人は、「さまざまなものが売られている」「人々の賑わいがある」「購買とともに交流が生まれている」などのイメージがあるかと思います。実はこれからのイメージは、まちづくりが理想とするひとつのかたちでもあるのです。

すでにお伝えしてきたとおり、本書で提案している半径200メートルのまちづくりでは、アクティビティによって人を集めることが基本となります。そして、**人が集まる場をつくるためには、「購買」「賑わい」「交流」などの要素が必要です。これらの要素をすべて生み出すのが、マルシェ**なのです。

たとえば、フランスで盛んに行われているマルシェでは、肉、魚、野菜、果物などの食べ物に加え、雑貨や衣料品、花など、多種多様なものが売られています。農業大国でもあることから、新鮮なもの、よりよいものを求めて多くのお客さんがやってきます。

当然、賑わいや交流も盛んに行われているのですが、かつては日本の商店街にも似たような光景がありました。現在ではシャッター街となり、様変わりしてしまったところも多いのですが、「フリーマーケット」や「蚤（のみ）の市」など、人だかりができるイベントも残っています。

このような**マルシェの強みを活かすことで、次の3つが実現しやすくなります。**

1 人を集める
2 土地の価値を上げる
3 巻き込む人を増やす

特に近年では、マルシェ（マーケット）が周辺の経済によい影響を与えるということも明らかになってきました。事実、イギリスのロンドン市ではこうした経済効果に着目し、都市戦略としてマーケットを強化する政策も実施されています。

中でもロンドンでは、古くからマーケットが生活基盤としてまちに根づいており、スーパーマーケットチェーン「TESCO（テスコ）」や「The Button Queen（ボタン・クィーン）」などマーケットを前身とした企業も数多く存在しています。

「イギリスでは、マーケットがまちの人気を高め、周辺住居の不動産価格が上昇していることも指摘されている。（中略）不動産価値の上昇がマーケット単体の影響であるか、明確化することは難しいが、駅近く、公園近くの不動産価値が高いことと同様に、良質なマーケットが近隣にあることが不動産価値に影響すると指摘している」

（※出典：『マーケットでまちを変える』〈著：鈴木美央／学芸出版社〉）

さて、そんな**マルシェの運営に際しては、3つのポイントがあります。**

ひとつ目は**「ゴールを設定すること」。**そもそもマルシェの開催は、まちづくりのゴールではなくきっかけです。そのため「地域の人とつながること」を目標とし、売上や来場者数だけでなく、アクティビティの多様性や滞留時間など「人々がそこで何をしているのか」を、さまざまな点からウォッチするようにしましょう。

次は**「コンセプトを統一し、リーダーを決めること」。**これはまちづくり全体においてもいえることですが、統一感のあるコンセプトを設定し、リーダーのもとで地域の有志らとともにマルシェを開催することが大事です。それによってメンバーの獲得から顧客の創造まで、人を巻き込む施策となります。

最後のポイントは**「空間をデザインすること」。**マルシェにおいては、ただ店舗を並べればいいわけではありません。後述する「屋台村」の解説でも詳しくご紹介しますが、各メンバー（店舗運営者）がどこでどのような店舗を運営するのかに加えて、お客さんがどこから入り、どう歩き、どこで買い、どこで休むのかまで、設計することが大切です。

図6　マルシェでの店舗と広場の配置のよい例・悪い例

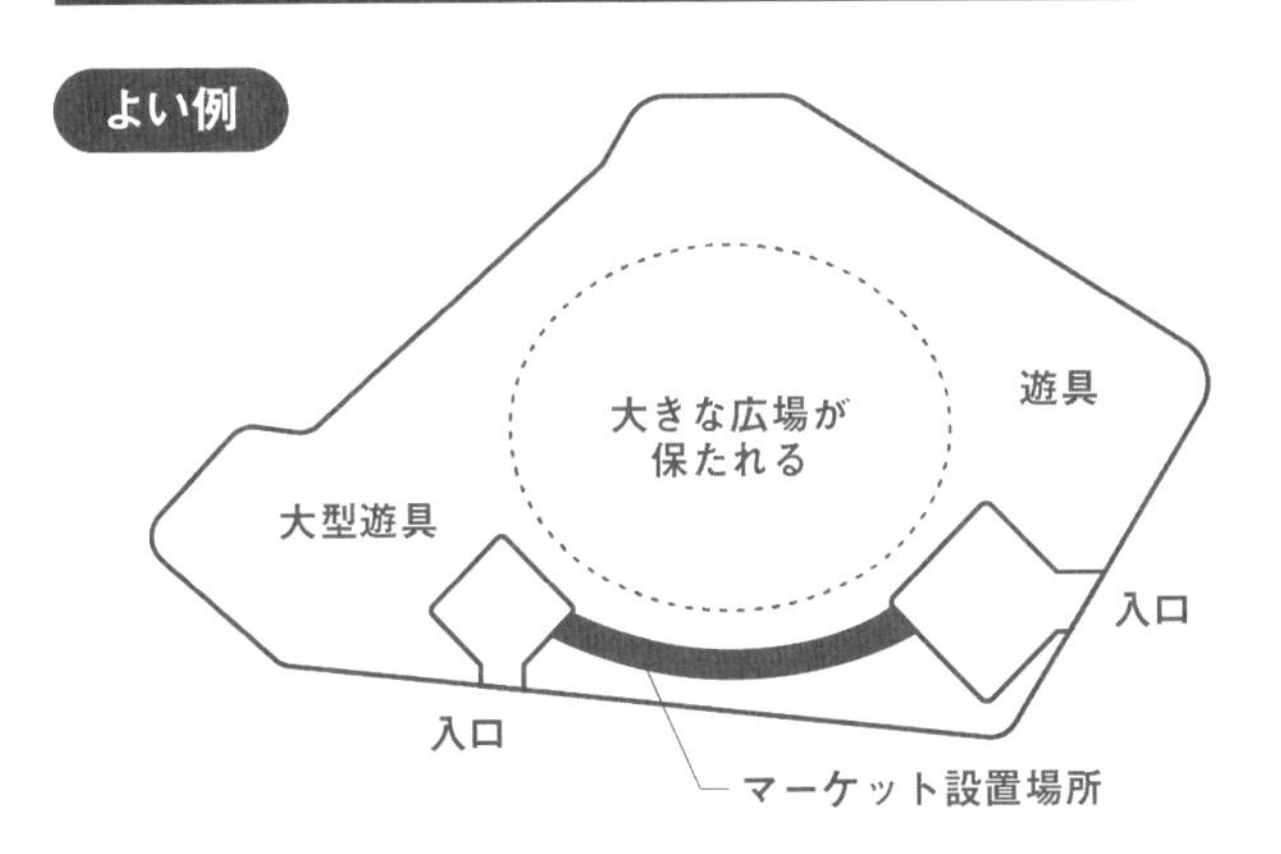

マーケットを一列に設置したレイアウト。広い広場を保てる。

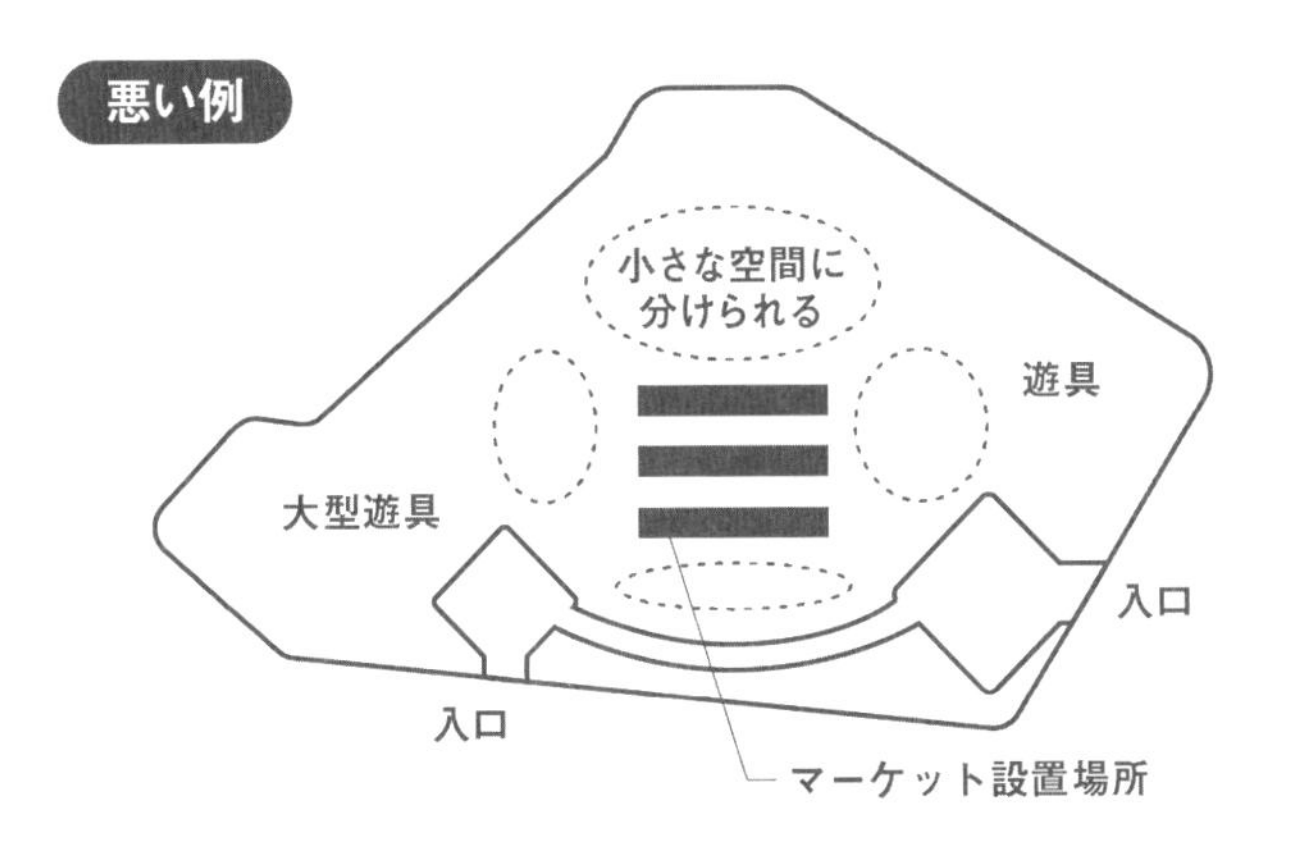

中央にマーケットがあることで、空間が小さく分断されるために、
人々の交流がしにくくなってしまう。

※出典：『マーケットでまちを変える』（著：鈴木美央／学芸出版社）

埼玉県で開催されている「Yanasegawa market（柳瀬川マーケット）」のレイアウトなどは参考になります。訪れる人々の動きをイメージしながらマルシェを設計していきましょう。

メンバーに加わって知見と人脈を増やす

まちづくりに参加してくれる人を集めるに当たり、**SNSで募集をかけるのもひとつの方法**です。いわゆる**「コアメンバー」**を募集する際に、フェイスブックやツイッター、ウェブ広告などを活用して告知をし、**「サポートメンバー」**も集めるという発想です。

リーダーとなるあなた自身は、「何がしたいのか」「なぜしたいのか」など、まちづくりにおけるコンセプトやテーマを最も理解している立場にあります。そのため、**想いや情熱の部分も盛り込みつつ、情報を発信していくといい**でしょう。

フェイスブックやツイッターでの情報発信に加えて、私も活用している「ｎｏｔｅ」など、いわゆるコミュニティ形成につながるサービスは積極的に利用したいところです。そこでの情報発信と交流が、メンバー獲得の足掛かりになります。

たとえば、私のページは次のような説明書きとともに、まちづくりやまち上場に関連する記事を作成、配信しています。本書の内容ともリンクしている部分が多いため、興味がある方はぜひ参考にしてみてください。

（◆「小林大輔—#まち上場で『幸せなまち』をつくる」 https://note.com/sumus_kobayashi）

また、インターネット上のサービスを活用して**パートナーを見つけたい人には、「リノベリング」**のサービスがオススメです。リノベリングは、まちの潜在資源を活用して都市・地域の経営課題を解決する「リノベーションまちづくり」を全国各地で推進している会社です。

（◆「リノベリング」 https://renovaring.com/）

活動内容としては、「リノベーションスクール」「まちのトレジャーハンティング」「講演会」「まちづくり構想策定」など幅広いのですが、さまざまなイベントを展開したり、まちづくりのメンバーを募集したりもしています。

リノベリングで募集されている案件については、基本的に、委託している行政側がコアメンバー（建築、不動産、メディアなど）を決めているケースも多く、その場合はサポートメンバーとして参加するかたちになります。

そのようなサポートメンバーとしての参加を通じて、まずはまちづくりの基本を学ぶのもいいでしょう。志を同じくする人を見つけ、さまざまな場所でまちづくりを展開していくことも可能です。

私自身、会社を経営する立場から、日本全国各地のまちづくりに携わっています。特定の地域でのみまちづくりをするのではなく、得られた知見やノウハウをともに共有することで、各地のまちづくりに貢献しています。

そのような**経緯を経て、行政や建築、不動産、その他の関係者との人脈をつくっていけば、各地でのまちづくりはより成功しやすくなります。**事業としてのまちづくりには、このような継続性の土台となる活動も大切だと感じています。

これからまちづくりを行う人は、そうした活動の事例に触れ、学ぶことも大切です。コアメンバーというチームで活動し、まちづくりのプロフェッショナルとして成長していくことも、まちづくりを後押しするきっかけになるはずです。

ファンは「リピーター」にも「仲間」にもなってくれる

まちづくりにおける「人を巻き込む」とは、必ずしもコアメンバーを集めることだけに限定されません。**顧客として参加してくれる人はもちろん、将来的にリピーターやファンになってくれる人を集めることも、重要なポイント**となります。

考え方としては、**「プロセスエコノミー」**という発想があります。プロセスエコノミーとは、モノやサービスそのものの価値だけでなく、制作過程などのプロセスも含めてビジネスにしていくという発想です。そこには、人を巻き込むという発想があります。

これまでのビジネスでは、「商品やサービスを生み出す人」と「それを購入したり利用したり、あるいは楽しんだりする人」が明確に分かれていました。中にはコアなファンになる顧客もいますが、基本的には提供者と購入者は別々という発想です。

一方で近年では、その両者の垣根が薄れつつあります。その理由は、インターネットやSNSの活用によって相互コミュニケーションが活発になったこと、また、気軽にかつリアルタイムで情報のやりとりができるようになったためです。

かつてのように、企業側が顧客よりも圧倒的に情報をもっていた時代は、よりよい商品を生み出して販売するのが主流でした。大量生産・大量消費という時代の流れもあり、よりよい商品が社会に受け入れられていたかたちです。

しかし、インターネットの台頭によって、私たちはさまざまな情報を得られるようになり、商品やサービスの比較検討、さらにはレビューや口コミによる評価まで、幅広い情報を誰でも得られるようになりました。そのようにして、状況が根本的に変わっていったのです。

さて、**まちづくりもそうですが、企業経営を安定させるために重要なのが、ファンの創造**です。単なる顧客ではなく、リピートしてくれて、かつ自らのその商品やサービスを宣伝してくれる存在が、その事業なりまちづくりを強力にバックアップしてくれます。

ただ、そのような**ファンを獲得するには、従来の広告宣伝だけでは不十分**です。情報共有がしやすくなった外部環境をふまえ、**商品やサービスを開発する段階（プロセス）から並走し、仲間になってもらうことが大切であり、それこそがプロセスエコノミーの考え方**なのです。

具体的には、**「クラウドファンディング」**を活用してまちづくりをする方法があります。クラウドファンディングとは「群衆」と「資金調達」を組み合わせた言葉で、商品やサービスの開発およびテストマーケティングの段階から、消費者を巻き込んで進められるプロジェクトのことです。

開発やテストマーケティングの段階から消費者に参加してもらうことは、ともに事業を推進していくようなものです。そのため、より提供物に愛着がわきやすく、応援するという姿勢から、ファンになってもらえるケースも少なくありません。

これをまちづくりで応用すると、「このようなまちづくりがしたいです」「このようなコンセプトがあります」などと募集をかけ、コアメンバーやサポートメンバーを獲得したり、将来の優良顧客を創造したりすることもできます。

大きな投資を経てまちづくりをスタートしてから顧客を集めるのではなく、**準備段階から巻き込んでいけば、そのプロジェクトがどの程度の可能性を秘めているのかもわかるでしょう。当然、コアメンバーやサポートメンバーがどのくらい集まるかでも、評価できます。**

中でも「キャンプファイヤー」というサイトには、「まちづくり・地域活性化」のプロジェクトがたくさん掲載されています。それぞれ方針やコンセプトは異なりますが、参考になる情報ばかりなので、ぜひチェックしてみるといいでしょう。

(◆「キャンプファイヤー」まちづくり・地域活性化　https://camp-fire.jp/projects/category/local)

不満を見つけて発信すると、仲間を増やしやすい

人員の確保を考えるうえで、公的な支援や協力を得ようとする人は多いです。またその延長として、既存施設や補助金の活用を模索する人もいるでしょう。ただ、公的なものの活用には、自ずと限界があることはすでにお伝えしたとおりです。

「遊び」という観点を例にとりましょう。既存の公共スペースをよく観察してみるとわかりますが、近年、**公共スペースではできないことが増えています。**特に、これまでは可能だった「遊び」の多くが、禁止されているのです。

具体的には、公園の事例がわかりやすいかと思います。かつて、子どもたちが自由に遊べる場であった公園も、「花火禁止」「ボール遊び禁止」「大声禁止」「ペット禁止」「餌（えさ）やり禁止」など、さまざまな禁止であふれています。

このような禁止は、本来、法律で定められている公園の禁止事項ではありません。もともとは「公園の設備や木々などを傷つける行為」や「無許可での販売行為・占有行為」が禁止されている程度なのです（都市公園法 第一章の第十一条、第十二条）。

ただ、公園のそばに住む人や大人の利用者が、あれやこれやとクレームをつけて、禁止される事項が増えています。それによって、子どもたちの自由が制限され、思いっきり遊ぶことができなくなっているのが実情でしょう。

一方で、子育て世帯の人であれば、このような公園に対する禁止に不満をもっているのではないでしょうか。そのような**不満をきちんと発信し、共有する**ことによって、「ともに子どもたちが遊べる場所をつくりましょう！」という機運が生まれるかもしれません。

そのようにして、**一緒に活動できるメンバーを集め、まちづくりを進めていくのもひとつの**

方法です。**お互いに、既存の問題点と課題感を共有できていることから、コンセプトやテーマもブレることなく推進できる**ことでしょう。

実は、大人たちも遊びに飢えています。事実、暇をもて余している高齢の富裕層をはじめ、週末になると、多くの人が観光地でレジャーを楽しんでいます。ゴールデンウィークやお盆期間など、各地の混雑はあらためて言及するまでもないでしょう。

他方で近場で遊ぼうと思うと、遊び場が限られているのが実情です。公園ではできることが限られ、「誰かの迷惑になるかもしれない」などと考えていると、子どもをつれて公園に行くこと自体をためらう人もいるかもしれません。

そうした不満があるからこそ、前述のドギーズアイランドやニセコなどにある普段とは異なる遊びができるプレイスは人気があります。これからまちづくりをする人は、似たような不満がある人をメンバーとして集めるために、そこに着目してみるといいでしょう。

特に公共の空間において、どんなことが禁止されているのか。一方で禁止されている反面、需要があるのはどの分野なのか。そうした視点でコンセプトを明確化し、地域を特定してみると、共感を得られやすくなるかもしれません。

参考までに、2019年3月に神奈川県高座郡の寒川町が行った「子どもの遊び場に関する

図7 「公園で困ることは？」神奈川県寒川町で実施のアンケートより

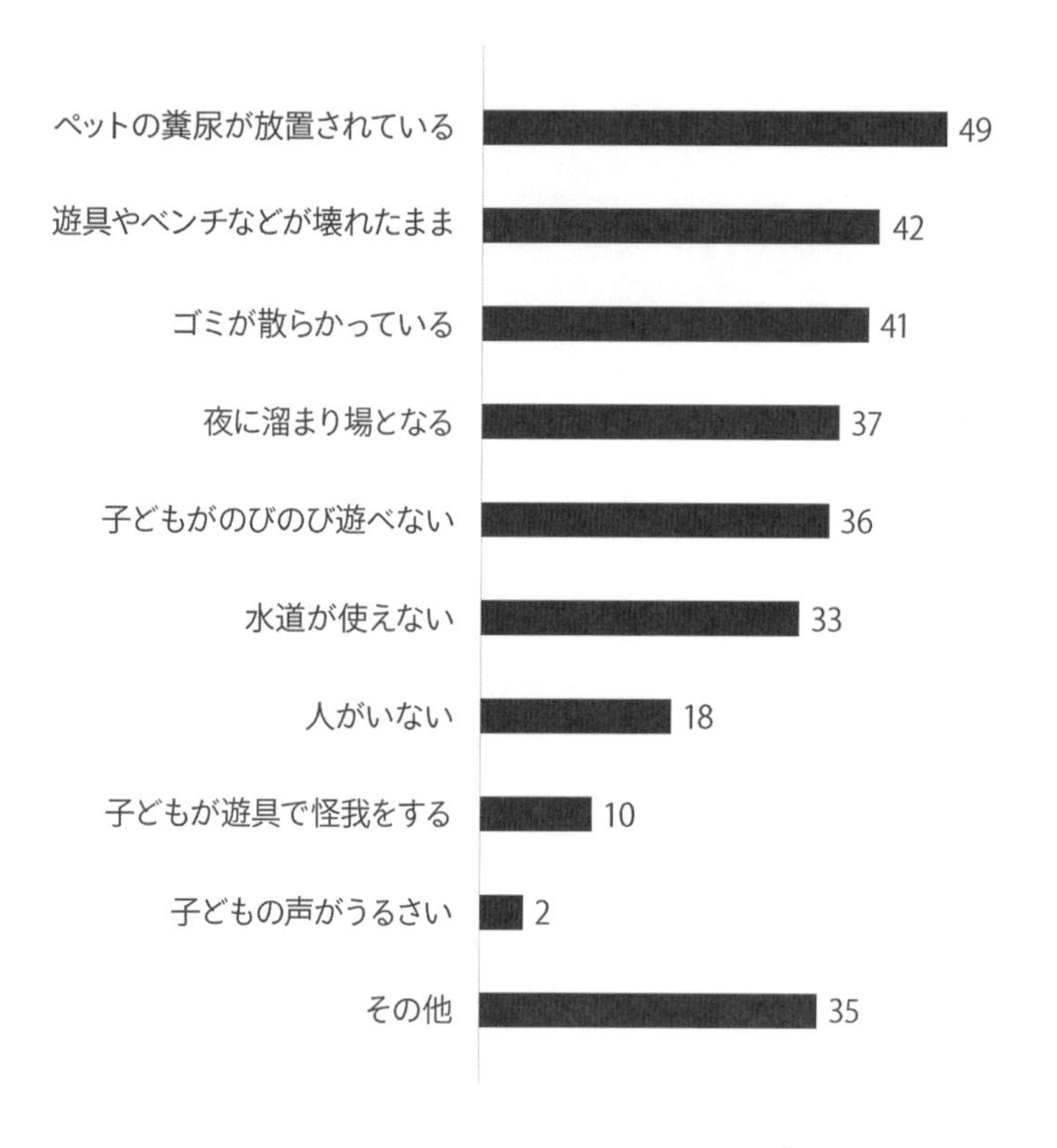

※出典：寒川町「第５回子どもの遊び場に関するアンケート集計結果」

アンケート」をご紹介しましょう。このうち、「公園で困ること」という質問には、図7（P134）のような回答が寄せられています。

その他にも、「トイレがない（設備が不十分）」「遊具が少ない（種類、数）」などの声が寄せられていたようです。これらの問題を解決することが、まちづくりのヒントになります。

やはり、大人も子どもも、遊べる場所に集まります。そして、そのような遊べる場所を自分で手掛けてみたい人も、実はたくさんいるのです。自分の希望や理想だけでなく、そのように隠された思いに着目してみると、人をひきつけるまちづくりにつながっていくことでしょう。

「ゆるキャラ」では、なぜうまくいかなくなったのか？

まちづくりでは、話題性のある施策を通じて認知度を高め、人を集めるのもひとつの方法です。その具体的な方策として、「ゆるキャラ」の活用やそれに伴うメディア戦略など、わかりやすい施策を検討している人も多いのではないでしょうか。

ただし、**ゆるキャラを使ったからといって、必ずしも話題性を獲得できるとは限りません。**

話題性のある施策であればネット上でバズることもありますが、ゆるキャラの活用はすでに多方面で行われており、半ば過去のものとなりつつあります。

いくら流行を取り入れていたとしても、それをみんなが採用していれば、独自性をもたらすことはできません。**オリジナリティがなければ、施策として実行しても「ただやっただけ」になってしまい、まちづくりを推進するきっかけにはならない**のです。

第5章では特に「人を巻き込む」という視点でポイントを解説していますが、ゆるキャラの活用という安易な発想が、人の心を動かせないのも事実です。つまり、そこに**課題感や共感を抱いてもらえず、情報を発信しても仲間が増えない**ということです。

しいていえば、まちづくりが軌道に乗ってから、PR活動を促進するためにキャラクターを活用するのならいいかもしれません。たしかに、より広い層にまでターゲットを広げていく過程で、キャラクターがいるのは強みとなります。

他方で、**これからメンバーを集めたり、初期の利用者を獲得したりしていく段階では、たとえゆるキャラをつくったとしてもあまり意味はありません。**予算がある自治体などでは「やっただけ」でも意味がありますが、小さくはじめて大きく育てるなら、後回しにしていいでしょう。

むしろ、無理やりゆるキャラを活用するぐらいなら、**SNSに力を入れたほうが効果的**です。

本章でも述べているように、SNSで積極的に情報を発信していくことが、人集めから周知・

拡大まで、さまざまなプラスの効果があります。

「インスタ映え」という言葉もあるように、インスタグラムのような画像共有サービスは、バズることによってサポートメンバー獲得から顧客創造まで、幅広い効果が期待できます。場合によっては、そこからマスメディアの取材に発展することもあります。

ただし、普段からインスタグラムを利用している人ほど、よくバズっている写真と似たようなものを撮影・共有してしまい、結果的にたいして見られていないということもあります。そのため、ゆるキャラの活用と同じなのですが、他人と違うことをしなければなりません。

もともとインスタグラムに上げられている写真の大半は、自分が楽しむためにアップされています。より正確には、自分が楽しんだことを写真で共有するためのものです。そこには、仲間の獲得や集中・拡大は意図されていません。

以前、私がテレビ番組『コンサルの天才』（TOKYO MX）に出演したときにもテーマとして取り上げたのですが、みんながアップしていないような写真にこそ価値があります。価値があるということは、人の心を動かすということであり、当然、バズる可能性も高くなります。

まちづくりにおいても同様で、人を集めたり仲間を獲得したりするためにSNSを活用するのであれば、独自の主張や画像を通じて発信し、他にはない価値をより多くの人に受けとってもらうことが大切であり、「刺さる」かどうかがポイントです。

その点、**ゆるキャラの活用や特産品などもそうですが、どこにでもあるものや他人の真似をしたようなものでは、効果が期待できません。そこにしかない意外性のあるものを見つけ、活用してこそ、まちづくりは前進していきます。**

第6章

【ステップ3】場をつくり、運営をする

「集客数×非離脱率×客単価」の最大化で収益を出し、
再投資を繰り返して成長させる

「利益創出→再投資」が繰り返せる場を設計する

第6章では、まちづくりを成功に導くための「場づくり」について解説していきましょう。これまでにも述べてきたように、まちづくりにおいては人が集まる「場」をつくり、その場所を管理・運営していくことが不可欠となります。

初期の段階で考えておきたいのは、場は用意するだけでなく、運営もセットで考えて初めて成功するということ。**設計と運営、それによる収益化（事業化）、さらにはまちづくりによって得られた収益の再投資という流れを構築したいところです。そのような仕組みによって、持続可能なまちづくりが進んでいきます。**

まち上場が目指すのはまちの価値を高めていくことですが、そのためには経済活動が安定的に行われ、そこで生じた利益を次の投資に活かしていくサイクルが必要です。**企業経営と同じように、「新規事業→利益→再投資→新規事業」によって成長していく**ということです。

そのための土台となる「考え方」や「人集め」については前章までにご紹介してきましたので、ここでは場（空間）の設計がもたらす持続性や、事業としての継続性、あるいは地域を活かした風景・自然がもたらすものについて見ていきましょう。

さて、まちづくりにおける目標である「まち上場」では、年間1万人を集めることが最初のゴールになるとお話ししました。場づくりについて考える際には、その他にも独自の指標をいくつか用意するようにしてください。いわば、その地域独自の指標です。

具体的には、「売上」「滞在時間」「リピート回数」など、そのまちで実現したい暮らしのシーンに近づけるために必要と思われる要素を、目標数値として設定するのです。それが、目指す場（空間）を定義することにつながります。

詳しい内容は後述していますが、屋台と屋台をつなげる仕組みである「屋台村」を運営する場合には、1店舗当たりの上限人数（7人前後）があらかじめ計算されています。そのようにして、人が集まり交流する「場」が設計されているのです。

あるいはマルシェに関しても、それぞれの店舗がただ乱雑に並んでいるのではなく、買い物客がそれぞれスムーズに、ときにじっくりと店舗間を回遊でき、さまざまな種類の飲食物や雑貨を見られるような設計がなされています。その場で飲食できることもあります。

こうした工夫は「触れ合いの醸成（じょうせい）」「体験の創造」と表現してもいいかもしれません。訪問客へのおもてなしをかたちにするべく、そのエリア、地域、スポットにおいて、計算された場づくりがなされています。それが、場の価値となっているのです。

その結果として、購買行動だけでなく会話や居心地のよい雰囲気、また訪れたくなる体験が生まれます。それはまさに空間設計デザインを駆使した仕組みなのですが、そのような発想を盛り込んでこそ、戦略的な場づくりが可能となるのです。

これからまちづくりを行う人は、そのような仕組みやデザインも加味したうえで、空間設計をしていきましょう。まずは、人が集まり賑わいを見せている場所を訪れ、どのような工夫がなされているのかを観察してみるのもオススメです。

店舗の配置や並び順、あるいはちょっとした余白が、空間の居心地を向上させていることもあります。よく観察してみると、自然とみんなが同じ方向に、同じような流れで進んでいくような動線がつくられていることもあります。まさに、場と運営がマッチしているのです。

もちろんその地域や場によって、外的な条件や訪れる人の層も変わるため、正解があるわけではないのですが、仮説と検証を経て空間設計を実施していくことで、よりよい場づくりにつながっていきます。次項から、そのためのヒントを探っていきましょう。

「集客数×非離脱率×客単価」の最大化を目指す

人が集まる場づくりおよび運営に関しては、**アクティビティだけでなく、コミュニティをつ**

なげることが大事。そこに集まる人々の**「離脱率」を下げ、「滞在率」を向上させつつ、継続的な経済効果が期待されるため**です。

まちづくりにおいては「いかに離脱率を下げられるか」が重要となります。「とりあえずハコモノをつくる」「とりあえずイベントを開催する」「とりあえずゆるキャラをつくる」などの発想には、そのような離脱率を下げる工夫がありません。

それでは、たとえ人を集めることができても、人がその「場」に滞留せず、望むような経済活動が行われません。要するに、そのまちに「お金が落ちない」ということです。だからこそ、そのまちに滞留してもらえるような動線をつくる必要があるのです。

それは、まちの構造やアクティビティだけでなく、運営面についてもいえることです。せっかく複数のアクティビティができるところを用意していたとしても、運営する段階で離脱率への配慮がなければ、利用者の滞在時間を増やすことにはつながりません。

企業経営やビジネスについても、考え方は同じです。新規顧客を獲得することばかりに気を使っていて、離脱率やリピート率への配慮がなければ、いつまで経っても広告や営業に頼る経営となってしまいます。それでは、安定的な事業経営にはなりません。

そうではなく、**新規顧客の創造と、リピーターやファンの醸成を同時並行的に行っていき、**

最終的にはリピーターがリピーターを、ファンがファンを育ててくれるようなかたちを目指すべきでしょう。そのようにして、事業に安定性と継続性が生まれます。

現代であれば、**SNS**を活用した顧客とのつながりや交流を維持するのはもちろん、自然に口コミが広がる仕組みや、インフルエンサーやキュレーター（『はてなブックマーク』などのまとめサイトをつくる人）の活用、オウンドメディアの運営など、できることはたくさんあります。

以前から使われている**アナログの手法**としては、セミナーやワークショップなどのイベント開催、リアルでの交流会や新商品発表会、各種表彰など、以前から行われてきた手法があります。これらを併せて実施すれば、ブランディングを図ることもできます。

ただし、そのような工夫の実践を次の改善につなげていくためには、何らかの評価基準が必要です。評価基準とは、その施策の有効性を計測するための指標のことです。では、それらの具体的な施策に対し、どのような評価をしていけばいいのでしょうか。

特に**まちづくりにおいて、私が使っているのは「集客数×非離脱率×客単価」という式**です。それぞれ、次のような内容となります。

- 集客数：その場に呼び込めた人数。1年間に1万人が人気・不人気の目安になる
- 離脱率（直帰率）：訪れた人が、目玉のハコモノだけで終わらずまちを回遊する率。離脱率が高いとすぐに帰ってしまい、お金を使ってもらえない（経済効果が期待できない）
- 客単価：そのまちで使われる金額（一人当たりの客単価）

このような指標を活用し、集客数が少ないのであればコンセプト設計やアクティビティの種類と数などを工夫してみるといいでしょう。

また、**離脱率が高い場合は、アクティビティが有機的につながっていない可能性があります。動線への配慮も必要**かもしれません。同時に、コミュニティを形成する工夫など、交流を促すのも効果的です。喫煙所やトイレの設置などで改善することもあります。

客単価に関しては、併せ買いを促す工夫（レジ前陳列、関連商品の提示、レコメンドなど）や価格戦略まで掘り下げ、改善していく必要があります。

こうした指標を活用し、まち上場に向けた場づくりを進めていきましょう。

特に前述の蔵王（p86～）では、複数のアクティビティをつなげることで集客数や離脱率、客単価などを改善させています。具体的には、スキーと樹氷ツアーというアクティビティを連

図8　宮城県蔵王町を訪問した観光客の出費額

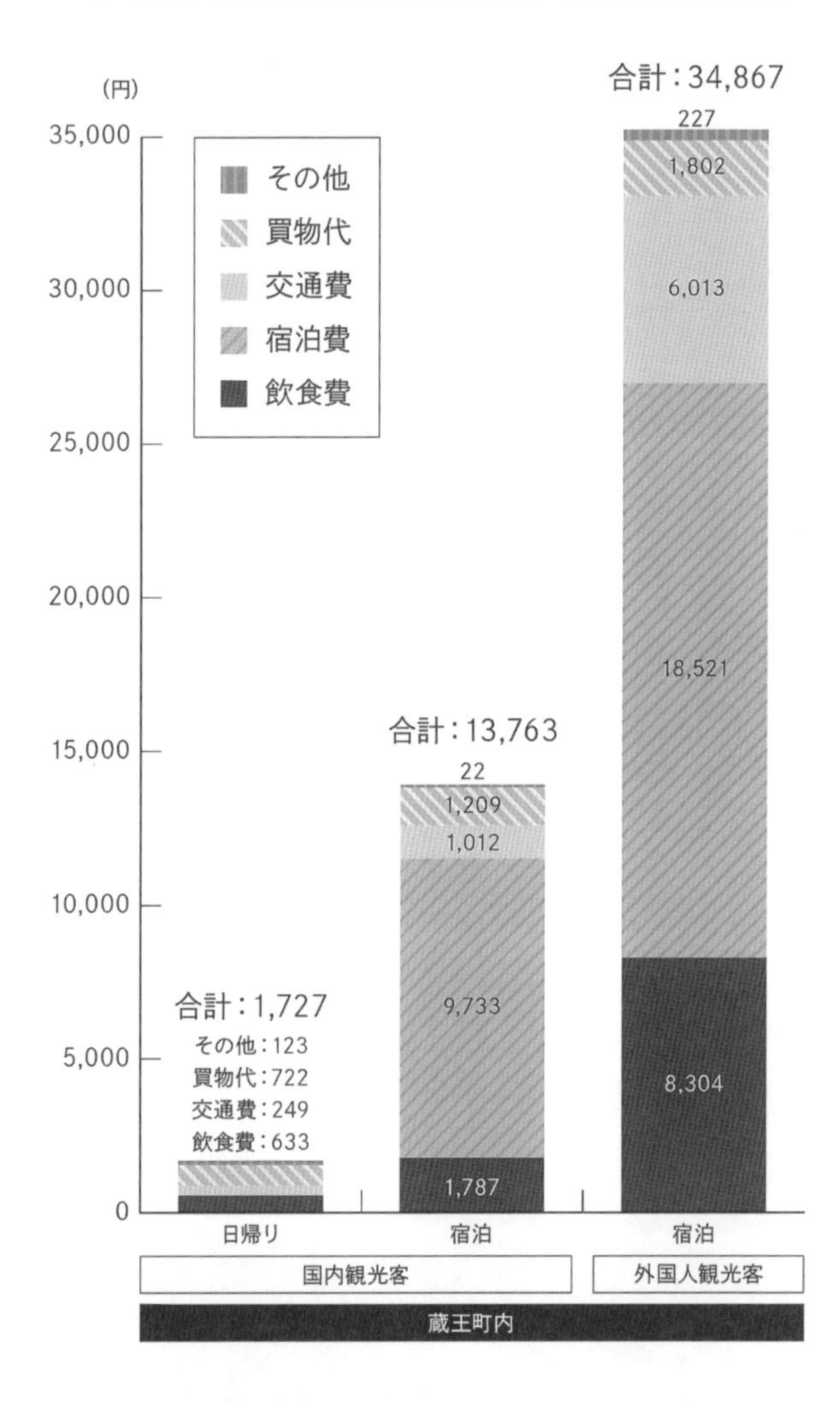

※出典：「平成30年蔵王町観光推進基本計画」より蔵王町内での消費額（一人あたり平均）

携させることで、観光客がそのエリアを周遊したり宿泊したりすることになり、結果的に地元にお金がたくさん落ちる工夫がされているのです。

こうして得たお金を使って新たなアクティビティ施設をつくったり、インフラ環境を整えたりといった再投資も可能になります。一方で、このような連携がうまくできていないと、スキーをしにたくさんの人がやって来ても、スキーだけしてそのまま帰ってしまったり、別の場所に移動したりしてしまうことになります。やはり、アクティビティをつなげることが大事なのです。

運営側と利用側の双方にメリットがある「屋台村」

人を巻き込むということでもそうですが、まちづくりにおける場づくりを進めていくに当たり、ぜひ参考にしたい取り組みがあります。それは、全国各地に広がる「屋台村（屋台街）」の仕組みです。**屋台村は、前章でご紹介したマルシェとともに、成功をおさめています。**

そもそも**屋台村とは、同じ場所に複数の屋台を集めることによって、集客効果や回遊、リピート率を高め、利用者の満足度や利便性、さらにはそのエリアの経済効果を高める仕組み**です。そのポイントは、「つながりの形成」にあります。

食事をすることだけが目的なのであれば、屋台を集めて「ムラ」にする必要はないかもしれません。事実、飲食店の選択肢としては、レストランや居酒屋などもありますし、あえて屋台を集める必要はないと思われるかもしれません。

しかし、飲食店が開業後3年ほどで7割が閉店するといわれているように、実際は、生き残っていくのが大変な業界です。その中には、腕のいいシェフや斬新で面白いコンセプトのお店も多々、含まれています。

大手企業が運営母体であるチェーン店であればまだしも、そうでない小さなお店は、なかなか生き残っていけないのが実情です。一方で利用者からすると、より多様で豊富な選択肢があったほうが望ましく、いろいろなお店を楽しみたい人も多いでしょう。

その点、屋台村の仕組みは、運営者と利用者双方にとってメリットがあります。運営側からすると、自店舗だけでなく、屋台村全体として集客の仕組みが整っているため、**顧客獲得のためのリソースを減らして店舗経営に専念できる**ことが期待できます。

また、**利用者側からすると、同一のエリア内で複数の店舗を楽しむことができ、**いろいろなお店で料理やお酒を堪能しながら、それぞれのコミュニティでお互いに交流を深められます。それは、他の場所では得られない体験となります。

このように屋台村の仕組みは、空間設計やデザイン、場づくりという観点からも非常に優れています。成功している屋台村では、1店舗当たり7~8席をキープし、審査に通ったお店だけが出店できるなど、コンセプトの統一も厳しく管理されています。

コロナ禍においても、福岡市にある中洲の屋台街では、営業時間短縮要請の解除後、初めての営業日に「満席状態」になることがニュースを賑わせ、その人気ぶりがうかがえます。まちづくりでは、そのような仕組みから学べることは多いでしょう。

ちなみに**屋台村のコンセプトには、「人と人とのつながり」が重視されています。**その理由は、家や職場・学校とは異なる**「サードプレイス（第三の場所）」を、屋台村によって創出する**という理念があるからです。

もともとサードプレイスという言葉は、アメリカの都市社会学者レイ・オルデンバーグ氏が提唱したもの。スターバックスのコンセプトとしても知られるこの概念は、以下に示すような8つの要素をふまえています。

1 中立性：経済・政治・法律的に中立であること

2 平等性の担保：経済・社会的地位に重きを置かないこと
3 会話が中心に存在する：活動のメインとして楽しい会話があること
4 利便性がある：オープンであり、アクセスがしやすい
5 常連の存在：新たな訪問者をひきつけつつも、新参者を受け入れる常連がいること
6 目立たない：日常的・家庭的な空間で、あらゆる階層の人を排除しないこと
7 遊び心がある：明るくウィットに飛んだ遊び場的な雰囲気があること
8 感情の共有：第2の家として、あたたかい感情を共有できること

このように居場所としての場づくりを実践しつつ、運営（マネジメント）においても次のようにいくつかのポイントがあります。

①新陳代謝を高める

随時、店舗の入れ替えや立地場所の見直しなどを行い、新しい空間を提供。屋台村全体の売上や他の出店者の士気も考慮し、屋台村全体としての新陳代謝を高めています。たとえば、沖縄にある「国際通り屋台村」は、3年ごとの入れ替え制を設けています。

写真5．沖縄にある「国際通り屋台村」の様子（写真提供：コクバ合人社ファシリティーズ）

②共通のコンセプトをもつ

コンセプトによって統一感を醸成し、リピーターやファンの獲得を実現。先述の「国際通り屋台村」では、出店者に次のような条件を設けています。

・離島や沖縄本島の地元の食材を使った料理を提供できる方
・出店者は、沖縄を愛し、お店を通じて地域情報の発信ができる方
（※出典：２０１４年「国際通り屋台村」開業当時の選考概要）

③言い出しっぺが飽きない

出店者やマネジメント側が飽きてしまわないよう、特に言い出しっぺの人が飽きずにやり続ける覚悟をもっています。長続きするためのルールを設定し、利益は再投資に回す。そうすることで、次の新しい挑戦に活かしています。

人気がある屋台村の中には、厳しい選抜を経ていることもあり、1店舗当たり月商３００万円を売り上げるところもあるようです。そのような店が複数あることを考えると、いかに経済効果が高い仕組みであるか、イメージできるのではないでしょうか。

全国で屋台村を手掛ける街制作室株式会社代表の国分裕正さんは、過去、国内外で500ヶ所を超えるまちづくり、都市再開発、地場文化発信拠点などの創出に携わっている方です。その中には、私が好きな国際通り屋台村や瀬長島ホテルなども含まれているのです。

まちづくりやサードプレイスに関心がある方は、ぜひ国分さんの著書『人が集まる場所をつくる　サードプレイスと街の再生』（白夜書房）も参考にしてみてください。

ひとつのホテル内であえて完結させない「アルベルゴ・ディフーゾ」の戦略

場の創造をまちぐるみで行っている事例に**「アルベルゴ・ディフーゾ（Albergo Diffuso）」**というものがあります。これはイタリア語で**「分散したホテル（分散型ホテル）」を意味する言葉**で、まちの中に存在する空き家を活用し、宿として提供する施策のことです。

このような仕組みを最初に提唱したのは、イタリア各地で旅行業オペレーターへのコンサルタントとして地方再生に尽力されてきた、ジャンカルロ・ダッラーラ（Giancarlo Dall'Ara）教授です。創始者である彼は、イタリア・アルベルゴ・ディフーゾ協会の会長も務めています。

もともとイタリア小美術館教会の会長でもあった彼は、物語性やおもてなし、あるいは個人のネットワークを重視しながら、旅行者・訪問者との関係づくりや思い出の創造を実現するニッチ・マーケティングを推進していました。

そんな中、1976年に北イタリアのフリウリ地方で発生した大地震により、ある集落が廃村の危機に直面。その村を復興させるべく試行錯誤を重ねた結果、ひとつひとつの空き家を宿として提供し、まちぐるみで地域を盛り上げることにしたのです。

具体的には、既存の廃屋や店舗をリノベーションし、客室、レストラン、バー、レセプション（受付）、土産店など、各機能をそれぞれの空き家が担うかたちとなっています。そうすることで、まち全体をあたかもひとつのホテル（宿）のように設計しています。

たとえば、アルベルゴ・ディフーゾを訪れた旅行者は、レセプションでチェックインし、宿泊先の部屋の鍵を受けとります。そして、地域内のレストランで食事をしたり、食材を購入して宿泊先の部屋で料理をしたり、もちろん景観や人々との交流なども含め、滞在時間を楽しみます。

そのような仕組みをまちぐるみで構築しているために、**訪問者の回遊を自然に促しながら、まるでその地域に暮らしているような気分を堪能してもらうことができます。その結果、離脱率の低下やロングステイ、さらにはリピート率の向上も期待できます。**

日本にある仕組みとしては**「温泉街」のイメージに近い**かもしれません。旅行客の訪問や賑わいがなくなってしまった温泉街を、リノベーションを含めてまちぐるみで開発し、アルベル

図9　分散型ホテルを意味する「アルベルゴ・ディフーゾ」の例

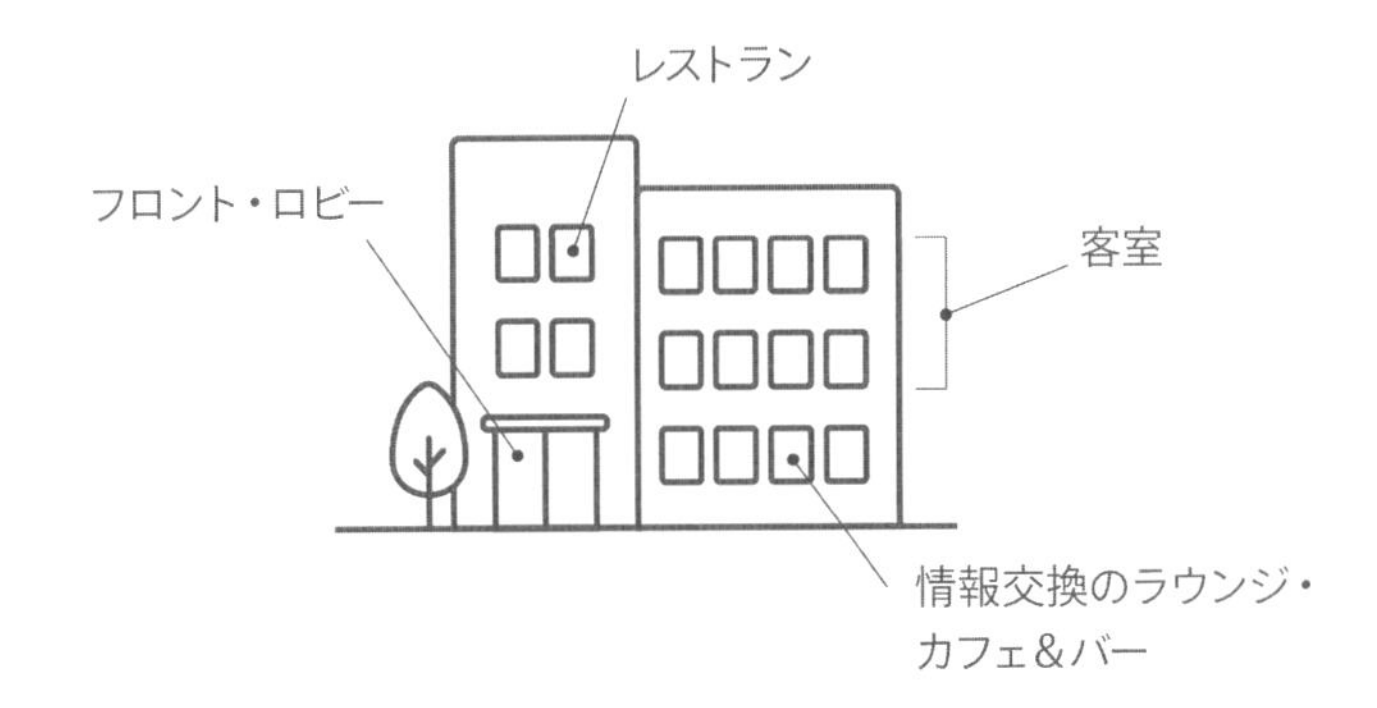

ホテルの機能がひとつの建物で完結している。
＝収益はすべて建物のオーナーのもの。

アルベルゴ・ディフーゾ

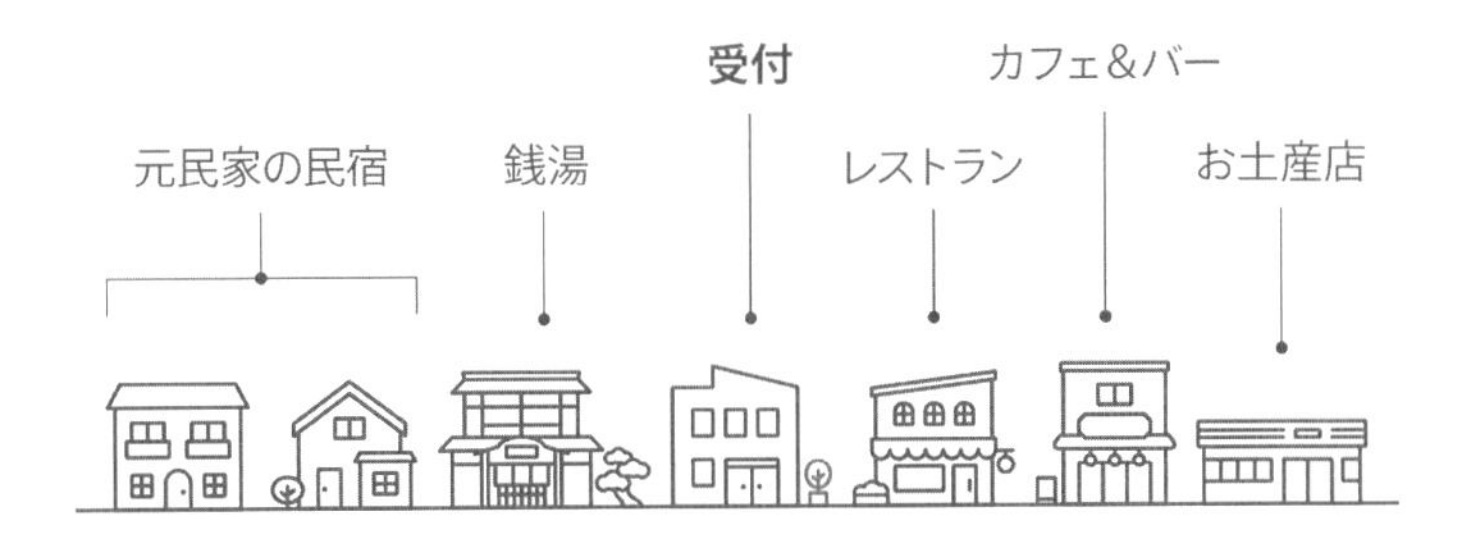

受付1ヶ所に対し、ホテルの機能が街に分散。
＝街自体がホテル化するため、地域経済が循環し、雇用も生まれる。

ゴ・ディフーゾのようなかたちで再建することも可能かと思われます。

このような仕組みは、**日本でもすでに取り入れられています。**たとえば、滋賀県大津市にある「商店街ホテル講 大津百町」は、昔ながらの商店街の中に、町屋をリノベーションした客室が点在しているのが特徴です。

宿泊者はこの部屋を拠点として、ラウンジでくつろいだり、レストランで食事をしたり、惣菜を買って部屋にもって帰ったりなど、まち全体を楽しむことができます。まさに、アルベルゴ・ディフーゾの日本版です。

その他にも、東京の谷中にあるホテル「ｈａｎａｒｅ」には、フロントでチェックインすると「散策マップ」と「銭湯のチケット」をもらえる仕組みがあります。また、レンタサイクルも借りられるので、自転車や徒歩で周辺を散策しながら、商店街や路地の雰囲気を味わうなど、周りのアクティビティがつながっています。

このように、アルベルゴ・ディフーゾの仕組みは、これからのまちづくりや場づくりの参考となります。特定のまちや地域に着目し、まちぐるみで開発を進めていくことが、今後は増えていくかもしれません。

そのような仕組みにおいても、**重要なのは空間（場）と運営、そして人と人とをつなげる工**

夫なのです。

「多摩ニュータウン」と「ユーカリが丘」が決定的に違うところ

まちづくりの成功と失敗について学ぶうえで、参考になるふたつの事例があります。それは、「多摩ニュータウン」（東京都）と「ユーカリが丘」（千葉県）です。どちらもいわゆる「ニュータウン」で、いずれもコンセプトは似ているのですが、**現状では成否がくっきりとわかれています。**

ところで、ニュータウンとはどのようなものなのでしょうか？　まずは、その前提を確認しておきましょう。

ニュータウンとは、言葉のとおり、新しく計画的に建設された大規模な市街地のことです。周辺の地域から独立しているケースが多く、都市計画にもとづくかたちで、「新住宅市街地開発事業」「土地区画整理事業」などが柱となります。

ニュータウンというコンセプトが誕生したのは、1898年のイギリスです。英国人のエベネザー・ハワード氏が著書『明日の田園都市』（鹿島研究所出版会）の中で、新しい都市形態として主張したのが最初とされています。そのポイントは次の3つです。

1 周囲を田園に囲まれた適正規模の市街地を新たに計画的に建設する
2 都市と農村の魅力を兼ね備えた職住近接の生活を可能とする
3 土地所有を一元化して自立した都市経営を確保することによって、居住環境の悪化や貧困に直面していた当時のロンドンの都市問題を解決できる

（※出典：「アットホーム」のサイト）

こうした考え方が広く受け入れられるようになり、イギリスをはじめ世界各地でニュータウンの建設が進められてきました。日本においては、多摩ニュータウンやユーカリが丘の他、千里ニュータウン（大阪府）や筑波研究学園都市（茨城県）などが知られています。

もっとも日本の場合は、戦後の高度成長期における産業構造の転換への対応、および大都市圏への人口集中の対応として、まさに国策としてニュータウンが整備されてきたのが実情です。

他方で、経年による以下のような**問題点**も指摘されています。

1 住民の高齢化

2 住宅などの老朽化
3 バリアフリー化の遅れ
4 近隣センターなどの衰退
5 小中学校などの遊休化
（※出典：「国土交通省」のサイト）

さて、日本におけるニュータウンの代表的な事例として、**多摩ニュータウン**からまずは見ていきましょう。

多摩ニュータウンは、東京都の稲城市・多摩市・八王子市・町田市にまたがる多摩丘陵に開発されています。総面積は2853haで、東西14km、南北2～3kmにおよぶ巨大なエリアです。日本最大規模のニュータウンであると同時に、ジブリ映画『平成狸合戦ぽんぽこ』の舞台となったことでも知られています。

そんな多摩ニュータウンですが、実は、「ゴーストタウンになりつつある」と噂されるほどの窮地（きゅうち）に追い込まれています。事実、1971年から入居が開始された同地では、当時こそ子育て世帯の憧れだったものの、今では高齢化が進み、建物も老朽化が進んでいます。

また、もともと都市部の過密化を避けるためにつくられたものであるため、立地はそれほどよいとはいえず、これからの働き盛りや子育て世帯が「絶対にここがいい！」と言えるかといいうと、厳しい部分もありそうです。

こうした状況は、多摩ニュータウンに限ったことではありません。昔ながらのニュータウンは、一定の時期に集中して販売されたため、当時の世帯で高齢化が一気に進んでしまう危険性をはらんでいるのです。

一方で、**ユーカリが丘**についてはどうでしょうか？　千葉県佐倉市にあるユーカリが丘は、1971年から開発が進められ、分譲がスタートしたのは1979年のことでした。それ以降、**40年以上にわたって衰退することなく、継続的に新しい世代が住み続けています。**

その理由は、ユーカリが丘を開発・運営する山万株式会社の手腕にあります。山万はデベロッパーとして、他のニュータウンのような売り切りの「分譲撤退」型ではなく、長期にわたって少しずつ開発して分譲していく「成長管理」型を採用しています。

具体的には、**まち全体の年齢構成や開発の状況を鑑み、新規の住宅分譲を年間200戸程度に抑えている**のです。そうすることで、**まちにはさまざまな世代の人が暮らすこととなり、まち全体の活性化を図っています。**

事実、数年後の未来がイメージできることは、住宅購入の強力な後押しとなります。他方で、たとえ立地や建築物がよくても、周囲が高齢者ばかりでは、子育て世帯や若者は住みにくい。だからこそ、特定の世帯が集中しない仕組みづくりが求められます。

実は、**このような工夫は企業にも当てはまります。**数年後を想像し、自分がどのような働き方をしているのかイメージできれば、新卒採用はスムーズに進みます。一方で、**若手が入ってこず、ベテランばかりの会社は敬遠されてしまう**ものです。

このように、まちづくりも企業経営も、**持続可能性を重視することが大切な要素**であるといえそうです。

無料で遊べる場を用意して、子育て世代を取り込む

まちづくりにおいては**発展の段階において、年齢や参加者の多様性を意識しなければなりません。**そうしなければ、より発展し、多くの人に受け入れられる場づくりにはならないからです。同じ人たちだけが固まっていると、まちとしての成長がありません。

たとえば、まちづくりや場づくりの**初期の段階でとっかかりになるのが「子育て世帯」。**子育て世帯は、常に**子どもを遊ばせられる場所**を探しています。特に週末がそうなのですが、加

えて、**できるだけお金をかけずに遊ばせたい**とも考えています。

当然のことながら、育児にはお金がかかります。普段の生活に加えて、将来的には子どもの教育費や他の諸経費についても考えなければならない以上、普段の遊びはできるだけ節約したいと考える人が多くなるのも自然なことなのです。

そこで、無料で遊べるスポットが注目されるのですが、前述のとおり、既存の公園はさまざまな遊びが禁止されており各種制限もあるため、それだけで必要十分とはいえません。つまり、そこに潜在的な欲求があるのです。

そのような視点から、初期の段階で子育て世帯をターゲットにしたアクティビティ施設を用意し、集客を図ってみるのはいかがでしょうか。そのうえで徐々にターゲット層を広げていき、まちづくりに多様性を付加していけば、軌道に乗りやすいです。

では具体的に、子育て世帯はどのようなアクティビティや場を求めているのでしょうか?

参考にしたいのが「ユニクロパーク」。横浜にある「ユニクロパーク 横浜ベイサイド店」は、ユニクロの店舗を公園にするという斬新なコンセプトを掲げ、2020年4月にオープンしました。トータルプロデューサーを佐藤可士和氏が、基本構想とデザイン監修を建築家の藤本壮介氏が担当しています。

写真6．ユニクロ PARK 横浜ベイサイド店（写真提供：ファーストリテイリング）

コンセプトにもあるように、店舗の屋上に公園を設置し、1Fはユニクロ、2Fはジーユー、3Fはユニクロとジーユーの合同のキッズフロアとなっています。

公園は誰でも無料で利用でき、ジャングルジム、すべり台、ボルダリングやクライミングなど、子どもたちが思いっきり遊べるスペースを用意。また各フロアには公園からもアクセスでき、トイレや授乳室などへの動線も確保されているのが特徴です。

このようにユニクロパークには、**「無料」「公園」「買い物」など、子育て世帯が訪れる要素がたくさん詰まっています。**アクティビティをつなげることで、多くの人に選ばれる場を演出しているのです。こうした事例をヒントに、子育て世帯から支持される場をデザインしてみましょう。

チラシや新聞広告。昔ながらのアナログ媒体も使える！

SNSの活用については前章でも解説していますが、ここであらためて広告戦略という観点から、まちづくりでのポイントについて考えてみましょう。実は、**まちづくりを軌道に乗せるのに有効な手法の多くは、地域に根ざした「アナログ」の活動**なのです。

前提として、現代はかつての大量生産・大量消費中心の社会とは変わってしまいました。その結果テレビCMをはじめとするマス広告は、必ずしも広告宣伝の主軸であるとはいえなくなったのです。SNSやオウンドメディア、動画などを活用し、タッチポイント（運営側と顧客の情報上の接点）を複数設け、相互につなげることが大切になってきています。

そこには当然、実店舗とのつながりも含まれ、地域密着型のお店であれば**チラシや新聞広告**など、アナログの宣伝手法も活用されています。そのようないわば「オムニチャネル（宣伝などのためのあらゆるチャンネルを統合すること）」によって、企業とユーザーとの接点を増やすマーケティング・宣伝・広告が行われています。

本書におけるまちづくりにおいても、不特定多数の大規模な大衆に訴えかけるというよりは（こちらだと大量生産・大量消費向けとなるので）、特定のターゲットを絞り込み、その対象者にきちんと情報を届けられるのがベストです。そのためには、SNSやウェブを活用したターゲティング広告が有効となります。

他方で、テクノロジーの活用だけでなく、**地域の住民を対象としたポスティングが効果的な場合もあります。**ポスティングは確実に届けることができ、内容を工夫すれば直接的で訴求力のあるアプローチになり得ます。

同様に、新聞折込みチラシに関しても、特定のエリアを絞って配布することができ、新聞購読世帯をターゲットにする場合は効果的でしょう。ただし、地域によって異なりますが、折込みチラシは1枚当たり数円程度の費用がかかるので、効果をよく見極める必要があります。

一方で、SNSやウェブ広告は成果報酬型のものも多く、最近では**AIが機械学習を経て自動的に最適化してくれるものもあります。**その場合、ピンポイントで配信できるだけでなく、**価格面でも抑えられ、費用対効果の向上が期待できます。**

もちろん、デジタルもアナログもどのような場や地域、エリアで使えるといった絶対的な正解はありません。いずれも、実践を経て試行錯誤を繰り返していくことが基本となります。そのことを前提にしても、デジタルは試行錯誤がしやすいので有利です。

広告宣伝活動も含めて行政の施策は、もともとが「全体の奉仕者」という発想をベースにしていることもあり、ターゲティングやセグメンテーションと、それによる戦略的な伝え方になっていない場合が多いと思われます。

他方で、弱者の戦略ではできるだけ少ないリソースで大きな成果を上げていかなければならない以上、デジタルもアナログも否定せず、どちらも試しながら実践し、効果測定を経て改善していくPDCAサイクル、あるいは機敏な発想が土台となります。

第7章

【ステップ4】ルールをつくる

短期目標と中長期目標を設定し、
それを実現するルールで回していく

ルールなくして、まちづくりは持続しない

最終章となる第7章では、まちづくりにおける「ルール」や「方向性」の設定について解説していきます。同時に、これまでの内容を総括するかたちで、まちづくりを行ううえでふまえておきたい各要点について、あらためて振り返っていきましょう。

これまでにもお伝えしてきたように、まちづくりには「継続性」や「持続性」が欠かせません。それはまさに企業経営と同じなのですが、単発のイベントや販売で終わってしまう施策は、中長期の成長や大きな発展にはつながりません。

そのため、自然、景観、飲食、購買、宿泊、各種イベントなど、複数のアクティビティを有機的につなげていき、回遊や滞在率、さらにはリピート率などを高めていきながら、経済効果を向上させ、まち全体の繁栄を実現することが重要となります。

そこで得られた利益を再投資し、プレイス→エリア→タウンへと成長させていく過程で、その地域の地価や不動産流通価格が上昇。やがて、まちそのものの価値が高まり、いわば「まち上場」を果たしていくことができます。

それが、本書で提案する事業としてのまちづくりであり、採算性や経済効果を加味したまち

づくりのあり方です。そのためには、繰り返しになりますが、一過性のものではなく続けていき、ポジティブな効果が波及していくことを目指さなければなりません。

一方で、**複数のアクティビティを用意したとしても、それぞれがルールや方針をひとつにしていなければ、思うように発展していきません。あるいは、初期の段階ではコンセプトによって統一されていたものが、運営過程でバラバラになってしまうこともあるでしょう。**

運営主体にリーダーシップが欠けていたり、個々の店舗が自分たちの利益を優先したりしてしまうと、まち全体としての価値は失われてしまいます。また、中長期的な視点で考えると、まちのブランディングという観点からもマイナスに作用する恐れがあります。

その点、前述の屋台村のように、**厳しい審査を経てコンセプトに共感してくれる人を積極的に採用したり、運営主体を定期的に入れ替えて新陳代謝を図ったりなど、できる工夫はたくさんあります。**コアメンバーやサポートメンバーの教育も同様です。

それらの指針を明確化し、運営方針として掲げていくための土台となるのがルールであり、方向性となります。行政のまちづくりでも、歴史的景観の保存や市域全体の個性を維持するなどの目的から**「景観条例」**が設けられていますが、それもひとつのルールといえるでしょう。

企業経営においても、たとえばチェーン展開などでは、一定のクオリティを維持・管理・運

営するためのマニュアルが作成されており、デザインや設計だけでなく、現場での教育にも活かされています。そのようにしてはじめて、質が保たれるわけです。

一過性のものではなく、継続性のあるまちづくりにおいては、同じような姿勢で取り組む必要があります。少なくとも、コアメンバーにおける意思決定のルールはきちんと決めておき、それを周知・徹底していく努力が欠かせません。

次項でご紹介するＢＩＤはまさに、そのルールを厳格に定めた事例です。初期の段階からそこまで詳細なルールを設定する必要はありませんが、ルールや方針がまち全体の規律をつくるという意識のもと、まちづくりを進めていきましょう。

その際の参考になるのが、**「コーポラティブハウス」**の仕組みです。コーポラティブハウスとは、住民同士が集まって協同で建設する集合住宅のことです。日本で初めて建てられたのは１９６０年代と歴史は古いのですが、一般にはあまり認知されていません。

特徴としては、デベロッパーが土地を購入し、そこに建物をつくり、できあがったものを販売する一般的な分譲マンションに対し、コーポラティブハウスでは、計画段階から入居希望者を募り、複数世帯で協同して土地を購入、建物を建てることです。

「どのようなマンションにするか」「ルールはどうするか」などを住民会議で決定し、間どり

図10 「コーポラティブハウス」ができるまで

一般の分譲マンションの仕組み

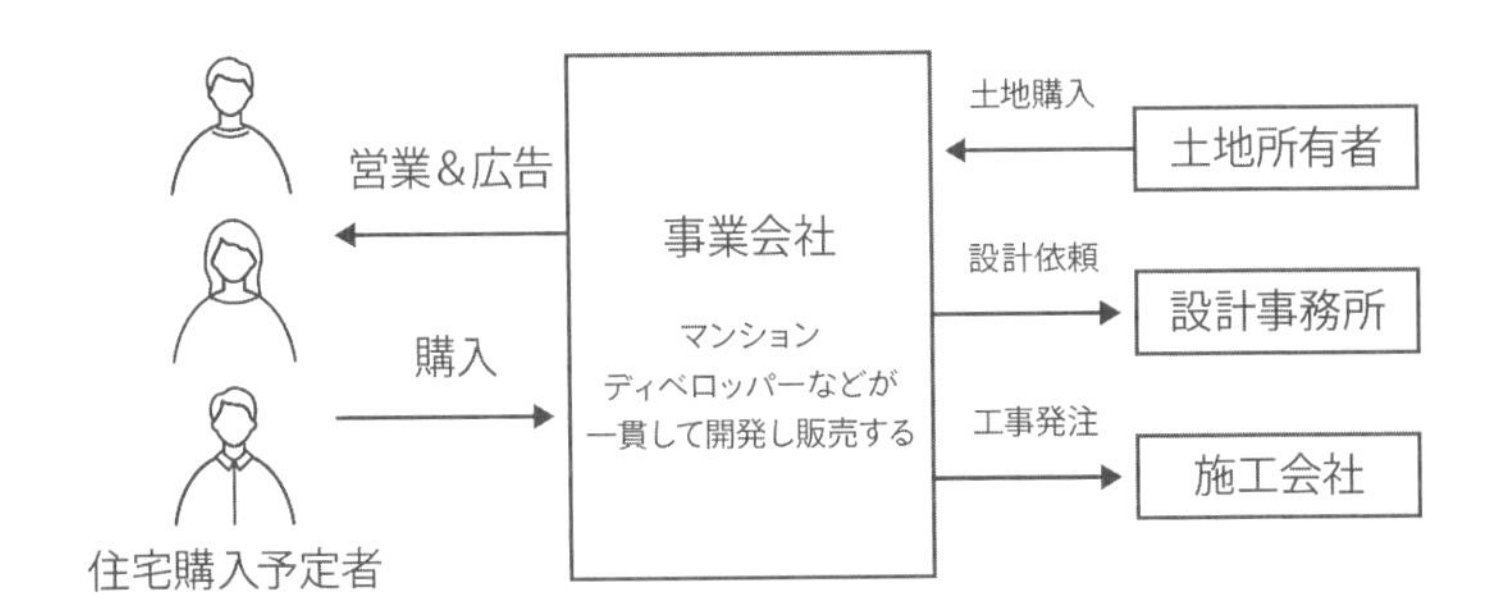

コーポラティブハウスの仕組み

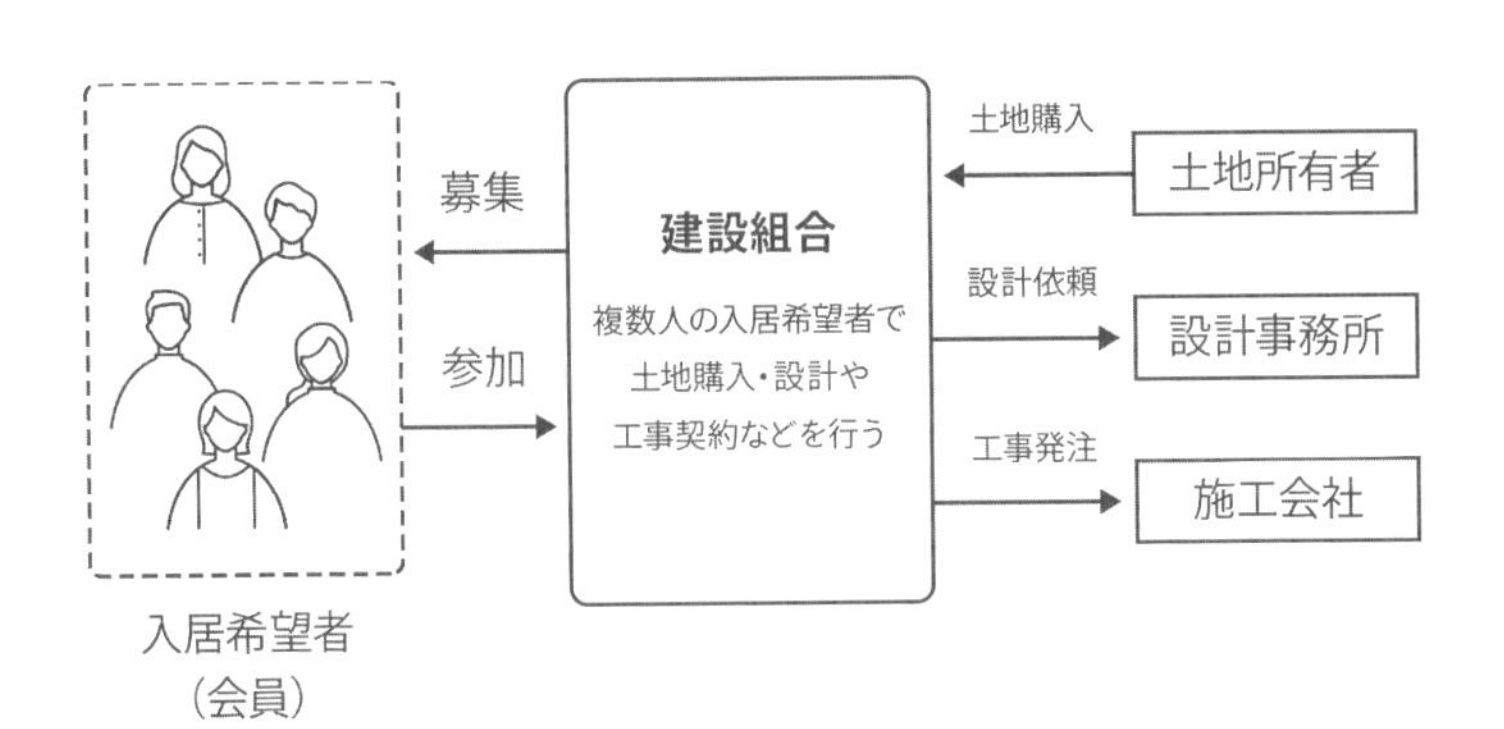

や内装はそれぞれ自由に設計します。そのルールづくりや方針設定が、まちづくりと似ています。リーダーのもと、コンセプトに沿って決めていくのがポイントです。

建設よりも制度面を重要視する「エリアマネジメント」に学ぼう

つくったまちを維持・管理していくに当たり、どのような発想に沿ってルールや運営方針を設定すればいいのでしょうか。参考となるものに、**エリアマネジメントの手法を応用した「BID（Business Improvement District）」**があります。

まずはエリアマネジメントの定義からご説明しますと、国土交通省によれば「地域における良好な環境や地域の価値を維持・向上させるための、住民・事業者・地権者などによる主体的な取り組み」とされています。

そこには、「快適で魅力に富む環境の創出や美しい街並みの形成、資産価値の保全・増進などに加えて、人をひきつけるブランド力の形成、安全・安心な地域づくり、良好なコミュニティの形成、地域の伝統・文化の継承など、ソフトな領域のものも含まれる」のがポイントです。

また、その特徴としては、次のようなものが挙げられています。

特徴1．「つくること」だけでなく「育てること」
特徴2．行政主導ではなく、住民・事業主・地権者などが主体的に進めること
特徴3．多くの住民・事業主・地権者などが関わり合いながら進めること
特徴4．一定のエリアを対象にしていること

特筆すべきなのは、エリアマネジメントがもたらす成果です。「快適な地域環境の形成とその持続性の確保」「地域活力の回復・増進」「住民・事業主・地権者などの地域への愛着や満足度の高まり」に加えて、「資産価値の維持・増大」が挙げられています。

これらはまさに、本書で提示しているまちづくりに通底しているのですが、特にエリアマネジメントを実施することによって資産価値の維持・増大が見込まれることは、まちづくりの経済性や持続可能性という観点からも、強調しておきたいと思います。

エリアマネジメントの実施に伴い、土地・建物の資産価値が高まることが期待されます。美しい街並みや安全で快適な環境が形成されることで、土地・建物の不動産価値が下落しにくくなったり、不動産の売却が比較的容易になったりするなど、市場性を維持することができます。

図11 美しい街並みにより資産価値を維持するのに成功した「宇都宮市豊郷台」の地価の推移

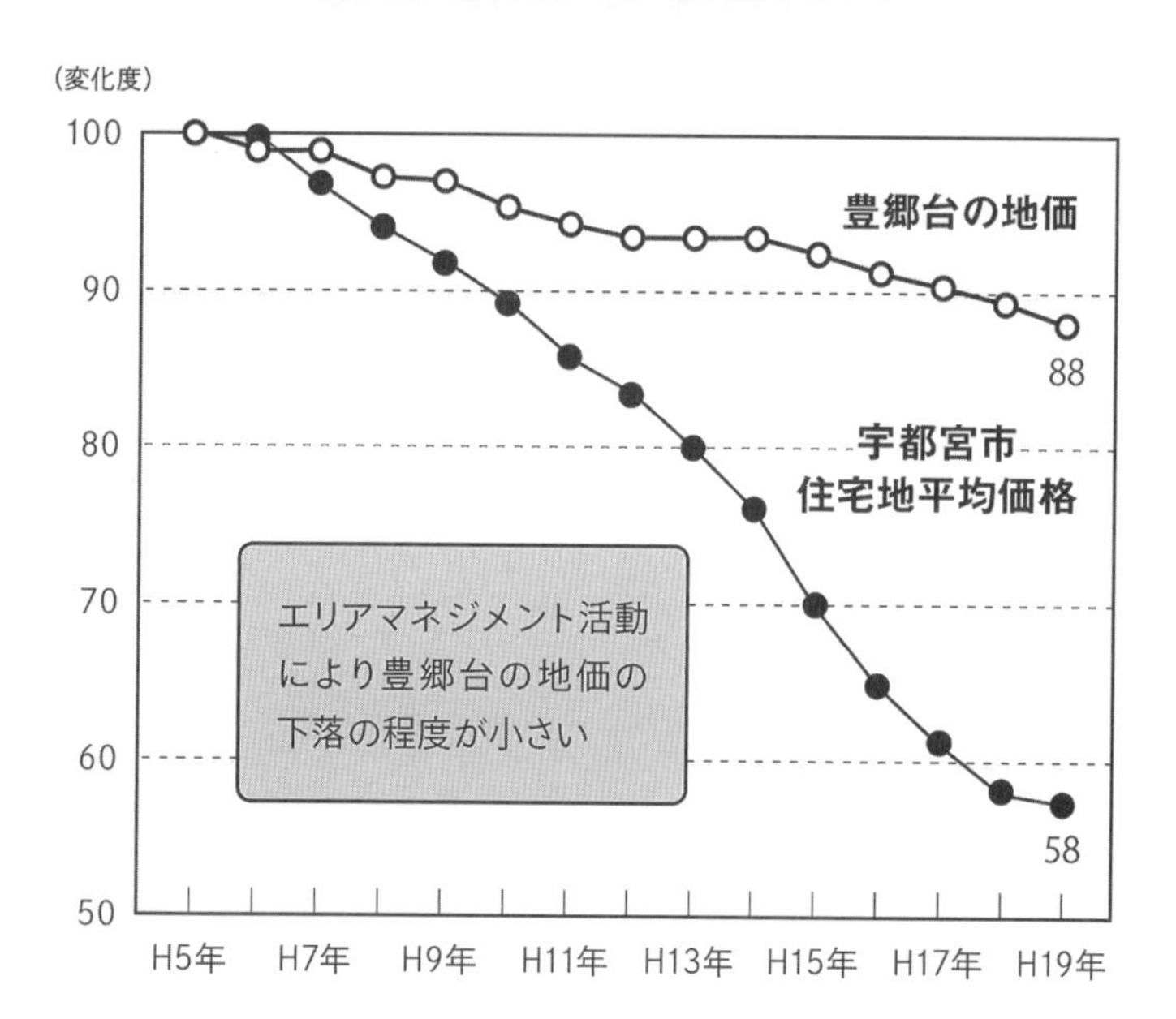

H5年時の宇都宮市の住宅地平均価格と、
豊郷台の地価を100とした場合の経年推移

※出典：国土交通省「エリアマネジメント　成果3.資産価値の維持・増大」

さて、そんなエリアマネジメントの概念を応用しているのがＢＩＤです。言葉の定義としては、先行するニューヨーク市が**「不動産所有者および事業主がその地区の環境美化、開発、プロモーションのために負担金を支払うことを選択する、官民パートナーシップ」**としています。

地権者が主導になって行われるという意味で、本書で提案するまちづくりとは異なる部分もあるのですが、ルールや方針の設定はとても参考になります。たとえば、その活動内容としては、主に次の10種類に分類されています。

1 清掃および維持・管理事業（ごみ収集、落書き除去、植木の管理、公共空間の維持・管理など）
2 警備事業（制服を着用した警備員の配置、パトロールの実施など）
3 マーケティング事業（イベントやキャンペーンの企画・実施、ニュースレターの発行、広告活動など）
4 企業誘致または引き留め（独自の市場調査、企業へのインセンティブ授与など）
5 公共空間における規制（路上の売買、パフォーマンス、ストリート・ファニチャーの設置、路上における荷揚げや荷下ろし作業などの規制）

6 駐車場および交通マネジメント（公共駐車場の管理、公共交通の待合所の維持・管理など）
7 都市デザインの管理（地区内のデザイン・ガイドラインの作成、ファサード改善の推進など）
8 社会事業（ホームレス救済事業、職業訓練の実施、青少年向けの事業の実施など）
9 構想・戦略の策定（地区全体の戦略計画の策定など）
10 基盤整備事業（街灯、ストリート・ファニチャー、植木などの設置および管理）
（※出典：「ニューヨークにおけるＢＩＤと京都（伏見区）におけるＴＭＯの考察」）

このような分類からわかるのは、**まちづくりとして施設の建設などに力を入れるのではなく、維持、管理、清掃、警備、マーケティングなどのソフト面（サービス）を重視している点**です。それは、アクティビティをつくるだけでなく、相互につなげ、さらにプレイス→エリア→タウンへと発展させていく本書のまちづくりでも、大切にしたい事柄となります。

すでにイギリスやアメリカで実績のあるＢＩＤですが、日本においては２０１５年４月に大阪市ではじめてＢＩＤの制度運用がなされました。制度創設のスピードを重視したり、資金の使途に制約があったりなど、「大阪版ＢＩＤ」として独自色が強いのですが、地域の価値向上という観点から注目されました。

事実、大阪版ＢＩＤをはじめて適用した「グランフロント大阪ＩＭＯ」は、適用地区の中心にある大規模複合施設「グランフロント大阪」にオープンカフェを設置するなど、人が集まる場づくりを実践しています。

タイムズ・スクエアのＢＩＤ組織「タイムズスクエア・アライアンス」の代表を務めるティム・トンプキンズ氏が、２０１９年に開催された「Knowledge Sharing Forum」で述べている言葉を引用しておきましょう。

「ＢＩＤやエリアマネジメント団体にとって重要なのは、それぞれの地域が違うということをまず認識すること。地域が違えば人も違い、課題もさまざまに違う。その地域なりのソリューションが必要になる」

具体的な課題解決の方法としては、次のような方法が挙げられています。これらの事項は特に、そのまままちづくりのルールや方針に当てはまります。ぜひ参考にしてみてください。

- 地域の情報を集めること
- オーセンティックな（正真正銘の）地域アートや文化のキュレーション（情報の編集をし

て価値を高めること）をし、守っていくこと

- ステークホルダー（企業の利害関係者）やデベロッパーの合意と信頼を得ること
- 新しいアイデアやイノベーションを実験的に試みるためのパートナーになること
- イデオロギーよりもデータ分析や調査を活用すること
- 地権者、行政、民間、企業などとインタラクティブな（双方向の）コミュニケーションを図り、信頼関係を築いていくこと
- その地域ならではの特徴や強み＝〝個性〟は何なのかを理解し、それに関する情報を集めて整理し、広めていくこと

（※出典：Ligare「世界のＢＩＤマネージャーが集結する、エリアマネジメント国際会議『World Towns Leadership Summit 2019』」）

「収益」よりも「集客」を優先させた浜松建設の手法

まちづくりにおけるコンセプトを明確にすることによって、ルールや運営方針が自ずと規定されていくこともあります。そのわかりやすい事例として、長崎県諫早（いさはや）市にある「風の森」を紹介しましょう。

図12 風の森のマップ

1カフェ／COZY　2iRO iRO　3喫茶 branch ／ nuts & branch　4クレープ＆ガレット／Amelie　5生活雑貨／zakka みち草　6ハワイアンセラピー／RIN　7貸出ギャラリー／C.W.S. クラフトワークスペース　8貸出ギャラリー／C.W.S. クラフトワークスペース　9モデルハウス／唐比の家（貸出スペース）　10ガーデニング／風の森ガーデン　11風の森パビリオン　12浜松建設 本社　13風の森ハーブ園　14ライフスタイルホテル／風の宿り

※イラスト提供：浜松建設

どです。

「風の森」はp179の図12のようになっており、雑木林に囲まれた自然豊かな癒し空間で、カフェやランチが楽しめる飲食店をはじめ、手づくりのマーケット・アトリエなどが点在しており、日用雑貨や洋服などの輸入雑貨を販売している店舗もあります。テナントは約10店舗ほどです。

複数の店舗がコンセプトを軸にしてつながり、春には手づくりマーケットが行われるなど、人と人とが交流できる場所になっています。自然の中で季節を感じられるため、ゆったりとした時間を味わえるのも特徴です。

そんな「風の森」がオープンしたのは2002年のことでした。2001年頃から、みかん畑だった荒れ地を開墾し木を植えるなどして、橘湾を見下ろす小高い丘陵地の村が完成しました。現在では、どんぐりの木やヤマアジサイ、花々を楽しめる憩いの場となっています。

総面積は約3000坪と、実に東京ドーム4分の1個分の広さです。特徴的でかつコンセプトも明確。ただ、完成に至るまでの過程もそうですが、オープン後の管理・運営も決して容易ではなかったそうです。

この場所を手掛けた浜松建設は、リフォームや店舗デザインを手掛ける工務店です。その特徴は、本社そのものが「風の森」の中にあること。事務所だけでなく、カフェや雑貨店などとともにモデルハウスも、森の中に立地しています。

たしかに、山や森の中にカフェやお店があると喜ばれます。都会の人にとってはそこが非日常の空間となりますし、村を散策しながらショッピングや触れ合い体験を楽しめるなら、遊び場としても重宝されるでしょう。

一方で、森の中にまちをつくるとなると、管理がとても大変。特に、イノシシやイタチ、ヘビ、ハチなど、動物や昆虫による被害が懸念されるからです。しかも、森を開墾してお店を設置するだけで、そう簡単につくれるわけではありません。

しかも浜松建設では、**意欲のある人に出店してもらいたいとの思いから、テナント賃料は低めに設定**されているとのこと。社長の濵松和夫さんは、会社へ遊びに来る人が増えてほしいと考え、このような意欲的な取り組みをしているそうです。

ここで重要なのは、**「風の森」そのもので収益化を狙っているわけではない**こと。テナント賃料を低く設定していることや、社長の言葉からも明らかなように、人が集まる場をつくることに主眼が置かれています。だからこそ、意欲的な人に出店してもらっているのです。

これもひとつの**人を集めるための方針であり、ルール設定といえる**でしょう。人が集まることによって、その森や店舗、あるいは会社そのものを好きになってくれて、将来的にはファンになってもらえる可能性もある。そのことが、空間全体の価値向上につながります。

工務店経営の実情を考えても、**「何かあったら頼みたい」という見込み客を獲得しておけば、中長期的な成長につながります。**そこまで見越して、木工教室や焼き立てピザなど、さまざまなイベントと交流、そしてアクティビティのつながりを実現しています。

ちなみに「風の森」には、無料の託児所も設置されています。このように子育て世帯はもちろん、家族連れの方にも楽しんでもらえるようにし、**次世代へとファンをつないでいく工夫**がされているのです。

「短期の集客」と「中長期の集客」を分けて考えるのがコツ

近年では、公園をはじめとする公共施設において、遊べる場が少なくなっています。ただ、需要を考えれば子どもはもちろん、大人にもリラックスして非日常を味わえる遊び場が求められています。

その点、まちづくりの設計として遊べるイベントを展開し、アクティビティをつなげていく、というのもひとつの方法です。**特に子どもの集客においては、わかりやすいイベントが最も手っとり早く、効果もあります。**

その場合のイベントは、もちろん一過性のものではありません。**イベントとアクティビティを、相互につなげていくことを見越して設計する必要があります。**そのため方針として、統一感や相互の連関性を重視しておく必要があります。

考え方としては、**「短期の集客」と「中長期の集客」を分けてイメージするといい**でしょう。イベント開催による短期の集客は、中長期の集客につなげてこそ意味があります。**短期で集めて、中長期へと結びつけていく**というかたちです。

特にまちづくりの視点で考えると、必ずしも**イベント単体で収益を上げなくてもいい**わけです。前項の「風の森」のように、遊びに来てもらうことを目的にしつつ、そのうえで集客や賑わいの創出につなげていく方法もあります。

将来的には、何度も通ってくれるリピーターやファンがそのまちを支えてくれることになると考えれば、短期の集客と中長期の集客をきちんと分けて、それぞれの採算性を考えておくことが大切です。もちろん、そこには短期の利益と中長期の利益があります。

イベントでの回収も当然あっていいですし、中長期の集客のためであればむしろ人を集められているかどうかを検討する。一定の期間を経て、まち全体の経済効果や価値が高まってきたら、その利益をさらに再投資して好循環を生むことが大切です。

短期の集客も中長期の集客も、長い目で見れば「関係人口を増やす」のが主眼になります。第3章で「観光以上、移住未満」という言葉もご紹介しましたが、**その中から一定割合の人が移住してくれれば、まちとしての繁栄につながります。**

たとえば、本書のまちづくりで目指している「年間1万人」という数字で考えると、そのうちの1％が移住してくれれば100人、0・5％でも50人となります。

もちろん、完全な移住というかたちではなく、別荘やワーケーション、キャンプの候補地などとして活用してもらえれば、それだけでリピート活用や継続的な経済効果の創出が期待されます。定期的なイベントを開催し、事あるごとに訪れてもらうのもいいでしょう。

そのように、短期の集客を中長期につなげていけば、相乗効果が期待できます。イベントとして、詰め放題やバザー、ヒーローショー、職業体験、ワークショップなど、大人も子どもも楽しめるものを開催すれば、より門戸が広がります。

職業体験やワークショップがいかに集客する力があるのかは、「キッザニア」の人気ぶりを見れば明らかでしょう。キッザニアのホームページを見ると、そのコンセプトは明確です。「キッザニアは楽しみながら社会のしくみを学ぶことができる『こどもが主役の街』です。体験できる仕事やサービスは、約100種類！ 本格的な設備や道具を使って、こどもたちは大人のようにいろいろな仕事やサービスを体験することができます」
（※出典：KCJ GROUP 株式会社公式サイト「キッザニアとは」）

「こどもが主役」というわかりやすい方向性と、量・質ともに申し分ない体験メニュー、さらには成果物をもち帰ることができるなど、親御さんとしても「学習の延長」として捉えられます。まさに、巧みな設計といえるでしょう。

職業体験やワークショップを単発のイベントにしていたら、これほどまでの人気は獲得できなかったはず。そこに価値を見出し、追求することによって、多くの人に愛される施設になっています。アクティビティの理想形が、ここにはあるのです。

「まち上場」を実現するための8か条

最後に、これまでお伝えしてきたまちづくりのポイントについて、あらためてチェックしておきましょう。迷ったときにぜひ立ち返ってもらいたい要素について、「まち上場を実現するための8か条」として箇条書きにしています。

1 スモールスタート・スモールゴール
2 スローディベロップメント
3 多様性を重視
4 まちの価値を計算する
5 利益の再投資
6 メディアをもつ（SNSやオウンドメディア、動画の活用）
7 意思決定ルールをつくる（コアメンバーとサポートメンバーをつくりつつ）
8 原価志向から抜け出す（原価思考から価値思考へ）

いずれも基本的な事項ではありますが、まちづくりに関する各項目の内容について特に気になるものがあれば、該当するページを繰り返し読んでみてください。そして、実践を重ねる中で振り返ってみましょう。

さて、ここからはこれら8つの項目を「弱者の戦略」として普遍化・一般化し、「まち上場」だけでなくあらゆるビジネスにも応用できるかたちで解説していきます。それぞれの項目について違う角度から見ることで、さらに理解を深めてみてください。

1 スモールスタート・スモールゴール

2 スローディベロップメント

ソフトウェア開発会社「ベースキャンプ」創業者のジェイソン・フリード氏らの著書『小さなチーム、大きな仕事――働き方の新スタンダード』（早川書房）という著名な本にもあるように、現代の経営は必ずしも規模を追求しなくなりました。むしろ、小さくはじめて大きく育てるのが王道になりつつあります。

その理由は、ＶＵＣＡの時代（「Volatility（激動）」「Uncertainty（不確実性）」「Complexity（複雑性）」「Ambiguity（不透明性）」）とも形容されているように、未来を見通すのが難しくなっており、臨機応変な対応が求められているからです。

そこで、できるだけリスクを少なくスタートし、小さなゴールを積み重ねていくのが、これからのまちづくりであり、企業経営およびビジネスのあり方です。そのような考え方のもと、素早く柔軟に行動し、チャンスをつかみましょう。

3 多様性を重視

「ダイバーシティ経営」という言葉もあるように、多様な価値観の尊重が不可欠である現代においては、ビジネスや普段の生活にも、多様性への配慮が欠かせません。年齢に加えて、ジェンダー、人種、思想など、幅広い多様性に対応することがこれからの社会で必要となります。

経済産業省では、ダイバーシティ経営を「多様な人材を活かし、その能力が最大限発揮できる機会を提供することで、イノベーションを生み出し、価値創造につなげている経営」と定義し、「女性をはじめとする多様な人材の活躍は、少子高齢化の中で人材を確保し、多様化する市場ニーズやリスクへの対応力を高める『ダイバーシティ経営』を推進する上で、日本経済の持続的成長にとって、不可欠です」としています。

4 まちの価値を計算する

まちの価値は、「土地代×不動産の契約数」で計算できます。またそれだけでなく、住宅着工数や公示地価、離脱率などからも、まちの価値を相対的に把握することで、そのまちのポテンシャルを知ることが可能です。

このように数値化することは、その対象を客観視するのに役立ちます。経営・ビジネスにおいても、行動や成果を数値化し、データをもとに改善していけば、主観ではなく客観的な指標にもとづくPDCAサイクルを回すことができます。

近年では、ICTやIoTによるデータの収集と、ビッグデータの活用も進んでいます。数値としてのエビデンスを活用し、物事の判断軸を増やしましょう。

5 利益の再投資

まちづくりもビジネスも、得られた利益をプールするのではなく、再投資することで将来の繁栄につなげることが求められます。持続性・継続性を実現させるには停滞するのではなく、広がりのある活動と成長が欠かせません。

企業活動はもちろん個人でも、学んだことを自分だけで活用するのではなく、周囲と分かち合うことで自分と他者の利益になります。また、自分から積極的にアウトプットすることが、次の成長を生み出します。

6 メディアをもつ（SNSやオウンドメディア、動画の活用）

情報発信から広告宣伝まで、自分たちの取り組みを伝えるのが自社メディア（オウンドメディア）であり、SNSの役目です。そこから生まれる交流が、新しい活動や次の施策につながり、価値創造へと結びつくこともあるでしょう。

その発信拠点としてのメディアをもつことは、中長期的な活動をするうえで支えとなります。流れていく情報媒体だけでなく、蓄積されていくメディア（拠点）をもち、定期的な発信をすることで、ファンや仲間の醸成にも役立ちます。

7 意思決定ルールをつくる（コアメンバーとサポートメンバーをつくりつつ）

他にはない価値を生み出し、それを維持していくには、意思決定のルールが不可欠です。所属するメンバーが何の指標ももたず自由に行動してしまえば、統一感を維持することはできません。それは、まちづくりも企業経営も同じです。

ビジネスにおいても、最低限のルールに沿って行動することが求められます。他方で、ルールに従うだけでなく、新しくルールをつくる側に回ることで「ゲームチェンジャー」になれるかもしれません。ファーストペンギンになる勇気をもち、ルールを創造していきましょう。

8 原価志向から抜け出す（原価思考から価値思考へ）

あらゆる物事を原価（コスト）から逆算してしまうと、原価の範囲内でしか物事を捉えられません。しかし、顧客が求めているものはつねに「価値」であり、価値の創造こそ、まちづくりやビジネスの根幹にあるべきです。

一人ひとりの行動も、他人に対してどんな価値を提供するのかによって評価されます。自分がもっている「原価」に捉われることなく、社会、市場（マーケット）、世界を見て、どんな価値が求められているのかを、ゼロベースで考えてみましょう。

田舎は儲かる

私はこれまで、全国の住宅工務店向けにＩＴ化のサポートや経営コンサルティングを提供しながら、まちづくりというかたちで「田舎」に貢献してきました。

「なぜ田舎にばかり時間とお金、労力を投じているのか？」と疑問に思われる方もいるかもしれません。

その理由は明確です。**田舎には可能性がある**から。言い方を変えると**「田舎は儲かる」**からです。こう言ってしまうと身もふたもないように思われるかもしれませんが、やはり、まちづくりに持続性は不可欠であり、そのために重要なのは事業として成り立つかどうかなのです。

ビジネス目線で考えると、「ゴーイングコンサーン（継続企業の前提）」という言葉にもあるように、創業者・経営者はもちろん、自社で働く人、取引先などの関係者、あるいは株主なども含むステークホルダー（企業の利害関係者）にとって、継続することは事業の根幹にあるべきものとなります。

特に本書では、まちづくりの土台となる考え方「弱者の戦略」を軸に、どのような発想と方針でこれからのまちづくりを展開するべきなのかを解説していきました。ただし、それらは「正解」ではなく、実践のための「ヒント集」のようなものです。

なぜなら、まちづくりにおいても、ビジネスにおいても、誰もが確実に成功できる「正解」など存在していないからです。もしそれがあるなら、従来の行政主導のまちづくりはことごとく成功しているはずですし、数々のまちづくりに関する施策は、日本をもっと元気にしているでしょう。

本書でご紹介してきた数々の事例に関しても、計画どおりの成功例というより、実践の過程、つまりＰＤＣＡサイクルを回し、試行錯誤を繰り返しながら、行動し続けている中での成果、成長、あるいはその軌跡を紹介したものとなります。

「こうすればいい」と提示するのは簡単です。事実、根拠がないまま「こうすれば必ずうまくいく」「これが成功法則だ！」と主張しているコンサルタントもいるかもしれませんが、時代が変わり外部環境も変化する中、普遍の真理や法則など存在するわけがありません。

これからまちづくりをする人が学ぶべきなのは、そのような固定化された概念や理論ではなく、**考え方の土台であり、発想するための基礎となる思想**です。本書で述べてきたまちづくりの要諦（ようてい）は、そのためのヒントにあふれていると自負しています。

「そうはいっても、田舎の地価は下がっているでしょ？」

そのように考えている人もいるかもしれません。たしかに全国的には都会の地価が上昇し、地方の地価は低下しているのが実情ですが、だからこそチャンスがあるのです。

Ｐ81で触れたとおり、北海道のニセコにある倶知安町は、10年間で地価が３・５４倍となりました。

こうした事例はあくまでも一例ですが、それが何を示しているのかというと、**「地方は地価が下がっているからこそ、上がる可能性がある」**ということ。高止まりしている都心よりも、地方のほうが価格が上がるかもしれないのです。

そのためには、**これまで見落とされてきたような価値を発掘し、そこにまちづくりというかたちで付加価値をプラスし、上手に発信していくこと。そのような工夫によって、将来的に、地価の上昇（本書におけるまち上場）が実現できる**かもしれません。

地価が高いから価値があるのではなく、地価が下がっていたり、低いままであったりする土地にこそ、未来の可能性があります。私たちはあらためて、まちづくりや地方創生という文脈から、その可能性に目を向けるべきではないでしょうか。

そしてそれが、コロナ禍に苦しむ日本再興の道筋にもなると信じています。

おわりに～「設計しよう、未だ見ぬ風景を」

定番品、みんなが喜ぶもの、これさえ押さえておけば間違いない。そんな最大公約数的な「正解」を追う時代は、終わりを迎えました。

まちづくりも例外ではありません。

従来のまちづくりは、行政による都市計画を実現するマスタープラン型。そのほとんどが、いわゆる「東京化」を目指すものでした。山を切り開き、コンクリートで舗装し、ビルなどハコモノを建て、人気店を誘致する。結果として、全国どこにでもあるようなまちが乱立しました。

この行政主導の取り組みはまさに「まちづくり1・0」。今でこそ、「東京化」を揶揄（やゆ）する声もあります。とはいえ戦後復興の中、強烈な推進力で日本中を安心・便利・快適な場所につくり上げてきたこの手法も一概に否定できるものではなく、実績は称賛に値します。

しかし現在となっては、日本社会が十分に成熟したからこそ、今度は「そのまちらしさ」を求める流れに移行しました。

その次なるステップを迎えたときに登場したものの代表的な例が、ゆるキャラやB級グルメ。一大ご当地ブームが起きました。これが「まちづくり2・0」。地方ならではの魅力に気づく人が増えてきました。

とはいえこの取り組みも、建物中心から商品やサービスに移行しただけで、その地域ならではの特徴をうまく打ち出して訴求できたものは、残念ながらごく限られています。

本書のテーマはさらにその先をいく「まちづくり3・0」。これまでの「まちづくり1・0」「まちづくり2・0」のときのように、万人にウケる必要はもうありません。

むしろ、万人ウケに走るのは危険ですらあります。というのも、人気のまちのコピーではここから先はもう通用しないからです。

新しい世界観を作り出し、たった一人でもいいので強烈に刺さる場所をつくることが、これからの「まち」に課せられた宿命です。

「設計しよう、未だ見ぬ風景を」

これは私が代表を務める会社、株式会社SUMUSのミッションです。

「日本は東京一極集中型の時代から、働き方、住み方を含め、必ず地方分散型へと変化していく」と常々考えていた私は、水面下でさまざまなリサーチと投資と実験を続け、小さいけれど着実なまちの変化＝「未だ見ぬ風景」をつくり続けてきました。

そして2020年春からの新型コロナウイルスの感染拡大で、状況は一変しました。リモートワークの急速な普及、過密な都市圏からの離脱思考の高まり…。経済や業界全体を見渡せば、決してポジティブな事態ではありませんが、一方で地方分散型のライフスタイルへのシフトチェンジが、確実に早まったことを確信しました。

これから田舎のまちの風景がどうなるのかは、未だ誰も知らない。でも、その風景を描き現実のものとするチャンスが、目の前に広がっている。そう考えたときに胸の高鳴りを感じ、この言葉を使うことを決めました。

これからの「まち」をつくるのは、行政ではありません。そこで過ごす私たち一人ひとりです。【ステップ0】でお伝えしたような「自分はどうしたいのか？」「この場所でどのように過ごしたいのか？」。そんなシンプルな気持ちや欲こそが、これからのまちをつくる原動力となるのです。「やりたいから、やる」。そんな人間的な営みの先に、未だ誰も見たことがない風景が広がっていると私は期待しています。今はまだ、あなたにしか見えていない未来の風景。それは決して絵に描いた餅や、夢物語なんかではありません。

日本の田舎には、まだまだたくさんの可能性が眠っています。今は観光客も訪れていないかもしれない。今は土地の値段も安いかもしれない。今は若者もいないかもしれない。

でもそれは、その場所に「魅力がない」こととイコールではありません。日本全国の都市、町、村を巡ってきたからこそ断言できます。魅力がひとつもない場所なんて絶対にありません。

今はまだ人知れず眠る魅力を発掘し、その価値を正しく発信する。ひとつでも多くのまちでそうできることが、「田舎」と呼ばれる日本の地方を再生し、そこにかかわる人の幸せにつながる。そんな思いで、私は田舎のまちづくりに携わっています。

とはいえ、私と仲間たちだけで全国の田舎をすべて活性化させることなんて、とてもじゃないですが無理です。

そこで私がこれまで培ってきた経験や知識、ノウハウなどを一人でも多くの人やまちにも活かしてほしいと願って、2020年からまちづくりに関する記事を、「ｎｏｔｅ」に書きはじめました。さらに今回、こうして「書籍」という形でより多くの人に情報を届ける機会をいただくことができました。

本書の編集に当たりご協力いただいた天才工場、編集協力の山中勇樹さん、奥山典幸さん、かんき出版の杉浦博道さん。ｎｏｔｅの執筆に当たり、サポートいただいた田端信太郎さんと但馬薫さん。いつも多くの刺激と気づきを与えてくれる先輩方、クライアント企業のみなさま。そして、会社の主力事業とは実は違うかもしれない「まちづくり」に没頭する私をいつも支えてくれるＳＵＭＵＳの社員のみんな。一人ひとりに心から御礼を申し上げます。みなさまとの出会いに支えられ、私の「未だ見ぬ風景」がひとつ実現しようとしています。

そこにしかない「自分だけのとっておき」の場所。そんな「まち」がこれからたくさん増えていくことで、すでに成熟してしまった日本に、新たな豊かさと自由な歓びをもたらしてくれると私は確信しています。

そして、そんな新たなまちを日本全国につくる仲間との出会いも、心待ちにしています。未だ見ぬ風景を、一緒に設計しませんか？

２０２１年11月

小林大輔

参考文献

[書籍]

『プレイスメイキング　アクティビティ・ファーストの都市デザイン』園田聡著／学芸出版社
『サードプレイス　コミュニティの核になる「とびきり居心地よい場所」』レイ・オルデンバーグ著、忠平美幸訳、マイク・モラスキー解説／みすず書房
『つながる力』藤原和博著／文藝春秋
『PUBLIC HACK　私的に自由にまちを使う』笹尾和宏著／学芸出版社
『地方創生大全』木下斉著／東洋経済新報社
『まちで闘う方法論　自己成長なくして、地域再生なし』木下斉著／学芸出版社
『まちづくりデッドライン』木下斉著、広瀬郁著／日経BP
『ヒルサイドテラス物語　朝倉家と代官山のまちづくり』前田礼著／現代企画室
『PUBLIC DESIGN　新しい公共空間のつくりかた』馬場正尊＋Open A編著／学芸出版社
『持続可能な地域のつくり方　未来を育む「人と経済の生態系」のデザイン』筧裕介著／英知出版
『福岡市を経営する』高島宗一郎著／ダイヤモンド社
『マーケットでまちを変える　人が集まる公共空間のつくり方』鈴木美央著／学芸出版社

[Web]

PPS（Project for Public Spaces）
https://www.pps.org/article/the-power-of-10
現代ビジネス
https://gendai.ismedia.jp/articles/-/86250
観光庁
https://www.mlit.go.jp/kankocho/kankorikkoku/kihonkeikaku.html
国土交通省
https://www.mlit.go.jp/totikensangyo/totikensangyo_tk2_000029.html
土地価格ドットコム
https://www.tochi-d.com/?choice=avg&a=1&p=%E5%8C%97%E6%B5%B7%E9%81%93&c=%E8%99%BB%E7%94%B0%E9%83%A1%E3%83%8B%E3%82%BB%E3%82%B3%E7%94%BA
山形県観光文化スポーツ部
https://www.pref.yamagata.jp/documents/3467/r1kankoshasuchosa.pdf
ユニマットプレシャス
http://www.unimat-precious.co.jp/service/resort/
日本経済新聞
https://www.nikkei.com/article/DGXZQOJC222IA0S1A320C2000000/
JB Press
https://jbpress.ismedia.jp/articles/-/52846
PR TIMES
https://prtimes.jp/main/html/rd/p/000000003.000055318.html
バンダイ
https://www.bandai.co.jp/kodomo/pdf/question243.pdf
道の駅
https://www.michi-no-eki.jp/about
アーキネット
https://www.archinet.co.jp/s/cooperativehouse_whatis.html
日本政策投資銀行
https://www.dbj.jp/upload/investigate/docs/chugoku_1702_02.pdf

※本文中に出典を明示した文献、データは省略しています

【著者紹介】

小林　大輔（こばやし・だいすけ）

◉――株式会社SUMUS（スムーズ）代表取締役社長。
新潟県高田市（現上越市）生まれ、その後は千葉県東金市で育つ。祖父は材木業、父は工務店を経営。法政大学経営学部経営学科卒。経営コンサルティング会社を経て独立。

◉――2015年、株式会社SUMUSを創業。住宅メーカー、リノベーション会社を中心に経営コンサルティングを行い、500社以上のクライアントをサポート。

◉――地域そのものをリノベする「まち上場」を実現させるコンサルティング案件が多く、サービス継続率は96％と高い実績がある。しかも扱う地域は、大都市圏どころか県庁所在地でもなく、カネ、人、知名度が決して潤沢とはいえない地域ばかり。

◉――現在は２社の代表と複数の会社の社外取締役を務め、地域の担い手たちとともに、暮らす人、働く人、訪れる人に愛されるまちを全国の田舎でも積極的につくっている。大のテニス好きで「テニスのまち」をつくることをひとつの夢としている。

まちづくり戦略3.0
カネなし、人脈なし、知名度なしでも成功する「弱者の戦い方」

2021年11月15日　第１刷発行
2023年12月18日　第３刷発行

著　者――小林　大輔
発行者――齊藤　龍男
発行所――株式会社かんき出版
東京都千代田区麴町4-1-4 西脇ビル　〒102-0083
電話　営業部：03(3262)8011㈹　編集部：03(3262)8012㈹
FAX　03(3262)4421　振替　00100-2-62304
https://kanki-pub.co.jp/

印刷所――シナノ書籍印刷株式会社

ISBN978-4-7612-7580-8 C0033